# ¿Desea más?

Experimente una mayor comunión con Dios y su poder, por medio del bautismo en el Espíritu Santo

Tim Enloe
EM Publications
Wichita, Kansas USA

Publicado por:
EM Publications
P.O. Box 780900
Wichita, KS 67278-0900
USA
www.enloeministries.org

ISBN: 978-0-9893569-0-9

Biblioteca de Número de Tarjeta de Catálogo de Congreso
Pendiente.

Primera edición

# Reconocimientos

El mayor reconocimiento pertenece al Espíritu Santo. A quien agradezco por revelarme a Cristo y ayudarme a revelarlo a otros.

Este libro nunca habría sido escrito sin el constante apoyo de mi esposa. ¡Rochelle, eres mi mejor amiga, y doy gracias a Dios por ti cada día!

Sin la influencia de nuestros padres piadosos, Rochelle y yo nunca habríamos conocido la persona y poder del Espíritu Santo. Gracias.

Quiero expresar mi gratitud profunda a Anna Arce Wilson. Su anhelo personal por el Espíritu Santo y amor para con otros la motivó a traducir este libro del inglés al español. ¡Yo creo que Dios usará sus esfuerzos y muchos serán llenos del Espíritu Santo!

Finalmente, agradezco sinceramente a Maximiliano Gallardo por editar la traducción y dar sugerencias útiles.

# Dedicación

Dedico este libro sencillo a nuestros tres hijos: Braedon, Dolan y Barret. ¡Dios permita que crezcan para convertirse en fuertes varones de Dios, llenos de fe y del Espíritu Santo.

# Índice

# Introducción

*¡Yo deseaba más!*

Yo anhelaba recibir más: más de la presencia de Dios, más del poder de Dios, más de Dios. Muchos de mis amigos habían tenido un encuentro especial con el Espíritu Santo, que había cambiado sus vidas de una manera significativa. ¡Yo quería tenerlo también, quería más!

Durante años había escuchado sobre el Espíritu Santo, y cómo Él deseaba investir de poder a los creyentes, pero nunca fui capaz de ir más allá y recibir personalmente su presencia. Yo estuve siempre cerca, pero claramente nunca lo suficiente. Lo percibía como un fracaso.

Aquella noche de agosto no parecía diferente. El tiempo de oración, después de la conclusión del culto, ya estaba por terminar. Yo había logrado agotar aún a otro equipo de hermanos que trataba de "orar por mí." Me sentí frustrado y desalentado cuando ellos se disgregaron.

Ahora finalmente solo, traté de hacer caso omiso de los sentimientos de fracaso cuando me arrodillé en un rincón cerca de la plataforma del templo, y dispuse mi corazón otra vez para adorar a Jesús. No pasó mucho tiempo, sin embargo, antes de que comenzara a sentir la presencia de Dios de una manera diferente. Mis ojos se llenaron de lágrimas cuando Él me pareció muy cercano. Súbita y suavemente, el Espíritu Santo vino sobre mí. Por un momento me sentí muy sorprendido, agradecido, pero inseguro de lo que yo debería hacer después.

Seguí arrodillando, pero me sentí excepcionalmente debilitado por su presencia.

Por un lado, trataba de entender lo que pasaba. Por otro, me parecía que yo tenía que decir algo, pero no estaba exactamente seguro qué decir. Entonces tomé un gran riesgo. Las palabras en mi propio idioma no expresaban lo que estaba en mi corazón. Frustrado conmigo mismo y mis incapacidades, decidí simplemente confiar en Dios como ayuda para comunicarme.

¡Fue entonces cuando sucedió! Abrí mi boca y comencé a hablar, esta vez palabras que eran extrañas para mí, pero yo sabía que tales palabras procedían de Dios. Mientras hablaba, ¡sentía el Espíritu Santo que literalmente fluía a traves de mí!

Tal como sucedió con los primeros cristianos en el libro de Hechos, yo había encontrado a Jesús como Aquel que bautiza en el Espíritu Santo.

Aquella experiencia abrió la entrada a lo "más" que tanto anhelaba. En realidad, el bautismo en el Espíritu Santo ha producido una gran diferencia en cada área de mi vida cristiana; por eso amo compartir con otros acerca de él. Hablaremos más de mi experiencia más adelante, pero hablemos ahora sobre usted mismo.

## ¡Relájese!

Ya que procedemos de diferentes trasfondos, cada uno de nosotros tiene ideas diferentes que arrojan perspectivas únicas acerca del Espíritu Santo y su ministerio. Unos pueden ver la obra del Espíritu Santo con gran entusiasmo y anticipación, mientras que otros pueden mostrar gran preocupación o reserva. Algunos están expectantes mientras que para otros es un tema que les produce más bien temor.

Tranquilícese, el Espíritu Santo y su obra no son algo místico o extraño. Son las persona las que tienden a asustarse cuando se trata acerca del Espíritu Santo. ¡De hecho, se culpa al Espíritu de muchas cosas en las que Él no tiene nada que ver!

La Biblia nos dice que es Jesús el que quién bautiza en el Espíritu Santo. Juan el Bautista dijo acerca de Jesús:

> Yo a la verdad os he bautizado con agua; pero él os bautizará con Espíritu Santo/Yo los he bautizado a ustedes con agua, pero él los bautizará con el Espíritu Santo (Marcos 1:8; RV60/NVI).

Si usted tiene temor, relájese. ¡Nuestro Padre celestial es la fuente de "toda buena dádiva y todo don perfecto" (véase Santiago 1:17), por lo tanto Dios tiene algo bueno para usted!

Si usted se siente inseguro, examine las Escrituras conmigo en las páginas siguientes. Nuestro viaje juntos se desarrolla sobre terreno sólido y bíblico.

Si usted puede identificarse con las frustraciones que yo tuve al principio, anímese. Usted puede recibir este hermoso don de Dios hoy.

¡Deseo con todo mi ser que usted pueda entender y experimentar a mi amigo, el Espíritu Santo, de una manera nueva y poderosa!

# Para reflexionar...

1. ¿Se sintió usted alguna vez frustrado y decepcionado cuándo se esforzó por recibir algo de Dios?

2. ¿Se ha sentido usted alguna vez insatisfecho en cuanto a su comunión con Dios, como su hubiera algo que usted se estuviera perdiendo?

3. ¿Cómo concibe usted una comunión ideal con Dios?

# 1

# Cinco encuentros con el Espíritu Santo

Jesús habló extensamente sobre el Espíritu Santo durante las horas antes de su arresto y proceso (véase a Juan 14–16). Él reveló una riqueza de entendimiento acerca de quién el Espíritu es, y lo que Él desea realizar en nuestras vidas. Cristo hizo saber a sus discípulos que el Espíritu Santo vendría y asumiría el papel de "ayudador" y "consejero".

Pero yo os digo la verdad: Os conviene que yo me vaya; porque si no me fuera, el Consolador no vendría a vosotros; mas si me fuere, os lo enviaré/Pero les digo la verdad: Les conviene que me vaya porque, si no lo hago, el Consolador no vendrá a ustedes; en cambio, si me voy, se lo enviaré a ustedes (Juan 16:7; RV60/NVI).

A través de todas las Escrituras podemos ver vislumbres de la acción del Espíritu Santo.
Él es revelado progresivamente a medida que se despliega la historia. Cuando usted llega al final de la Biblia, usted encuentra que la obra y ministerio del Espíritu son absolutamente esenciales en nuestras vidas.

Las Escrituras revelan cinco formas distintas que podemos encontrar continuamente el Espíritu Santo a través de nuestras vidas. Cada una de ellas es muy diferente, pues tienen un objetivo y resultado especial. Cada interacción revela el deseo de Dios de establecer una comunión verdadera, íntima y perdurable con nosotros. Cada una de ellas no es sólo un acontecimiento, sino un hermoso proceso en curso que permite que nosotros disfrutemos y crezcamos en nuestra comunión con Dios.

*Convicción*

El primer encuentro que podemos tener con el Espíritu

Santo es llamado convicción.

> Y cuando él venga, convencerá al mundo de pecado, de justicia y de juicio / Y cuando él venga, convencerá al mundo de su error en cuanto al pecado, a la justicia y al juicio (Juan 16:8; RV60/NVI).

El capítulo uno de Romanos nos dice que cada persona debería ser capaz de reconocer a un grandioso Diseñador detrás del universo. Deberíamos ser capaces de ver el orden creativo y la mano de Dios en la naturaleza.

> Porque la ira de Dios se revela desde el cielo contra toda impiedad e injusticia de los hombres que detienen con injusticia la verdad; porque lo que de Dios se conoce les es manifiesto / Ciertamente, la ira de Dios viene revelándose desde el cielo contra toda impiedad e injusticia de los seres humanos, que con su maldad obstruyen la verdad. Me explico: lo que se puede conocer acerca de Dios es evidente para ellos (Romanos 1:18–19; RV60/NVI).

Podemos observar hermosas flores y arroyos rumorosos; podemos oír el gorjeo de las aves y sentir el calor de la radiación solar. ¡Pero en vez de rendirnos al Dios-Creador, decidimos pensar que toda esta belleza vino de una explosión al azar de una sopa primigenia! Preferimos creer en el cuento de hadas de la evolución antes que enfrentarnos con nuestro problema de pecado personal.

El primer capítulo de Romanos revela el problema; tratamos de cubrir la verdad de Dios con nuestra maldad a fin de evitar el rendir cuentas ante el Dios santo. Esto muestra cuán profundamente nos ha afectado nuestra naturaleza pecaminosa.

Tenemos que encontrarnos con el Espíritu Santo para que Él pueda "convencer al mundo de culpa, en cuanto a pecado, justicia y juicio" (Juan 16:8).

¡Sin la ayuda de Él no podemos ver nuestra necesidad de Dios! Ya que Dios no quiere que nadie vaya a parar al infierno, Él envía el Espíritu Santo para revelar nuestra culpa de pecado contra Él, y convencernos de la realidad de Dios.

¡Esto revela cuánto nos ama Dios! Debido a su amor entonces, Dios envía su Espíritu para mostrarnos cuánto lo necesitamos. Nos toca a nosotros entonces decidir; ¿aceptaremos esta revelación divina con humildad, o seguiremos haciendo caso omiso de sus súplicas?

La convicción no es necesariamente un acontecimiento único en el tiempo, sino, de hecho, debería ser un proceso en curso. Cuando decidimos primero aceptar la convicción de pecado dada por el Espíritu, pedimos ser perdonados por pecar contra Dios. En ese momento nacemos de nuevo —en correcta relación con Dios— y hemos comenzado el proceso de la madurez cristiana. Pero todavía necesitaremos del Espíritu Santo para conducirnos a una mayor pureza personal, trayendo convicción sobre cualquier área de pecado. Nuestra santidad debería entonces aumentar a medida que crecemos en Cristo.

Si ha pasado mucho tiempo desde que usted sintió la convicción del Espíritu, cuídese de que usted no haya decidido hacer caso omiso del Espíritu de abogar con usted para crecer en santidad.

¡Otra dimensión importante de la obra de convicción del Espíritu es que nos inspira con la esperanza de que realmente podemos cambiar! Él quiere ayudarnos para asemejarnos más a Jesús.

Necesitamos una comunión estrecha con el Espíritu Santo de tal manera que Él nos convenza de pecado con regularidad.

### Regeneración

El segundo encuentro que tenemos con el Espíritu Santo es llamado "regeneración" o "renovación". Tito explica el papel del Espíritu en el milagro de la salvación:

Pero cuando se manifestó la bondad de Dios nuestro Salvador, y su amor para con los hombres, nos salvó, no por obras de justicia que nosotros hubiéramos hecho, sino por su misericordia, por el lavamiento de la regeneración y por la renovación en el Espíritu Santo / Pero cuando se manifestaron la bondad y el amor de Dios nuestro Salvador, él nos salvó, no por nuestras propias obras de justicia sino por su misericordia. Nos salvó mediante el lavamiento de la regeneración y de la renovación por el Espíritu Santo (Tito 3:4–5; RV60/NVI).

El Espíritu es el que quién milagrosamente nos renueva en una nueva creación. Segunda de Corintios 5:17 confirma esto:

> De modo que si alguno está en Cristo, nueva criatura es; las cosas viejas pasaron; he aquí todas son hechas nuevas / Por lo tanto, si alguno está en Cristo, es una nueva creación. ¡Lo viejo ha pasado, ha llegado ya lo nuevo! (RV60/NVI)

Nacer de nuevo es el mayor milagro que alguien pueda experimentar. Luego de aquel milagro, usted puede entrar al cielo en un cuerpo enfermo; usted puede entrar en el reino de Dios con emociones quebrantadas, pero usted no puede entrar en el cielo a menos que haya nacido de nuevo. Jesús mismo dijo:

> "Respondió Jesús y le dijo: De cierto, de cierto te digo, que el que no naciere de nuevo, no puede ver el reino de Dios" / "—De veras te aseguro que quien no nazca de nuevo no puede ver el reino de Dios —dijo Jesús (Juan 3:3; RV60/NVI).

Examine su vida durante un momento. ¿Entrará usted en el cielo? Muchos piensan que viviendo una vida buena les permitirá evitar el infierno. Ellos dicen: "Soy en lo fundamental una buena persona. Seguramente he cometido errores, soy sólo humano, pero nunca he matado a nadie. Fui bautizado como infante. Hago donaciones a obras de caridad. Dios ve todo esto y sabe cuánto intento portarme bien."

Lo que sucede es que hemos creado un dios que se conforma a nuestra imagen, al suponer que sabemos lo que Dios considera como aceptable. El error más grande que podemos cometer es escoger nuestras propias normas para entrar en el cielo. Seleccionamos normas que son alcanzables para nosotros, basadas únicamente en nuestros propios esfuerzos, y así a través de obras ganar la aceptación de Dios. Sin embargo, la Biblia nos muestra lo contrario:

> Porque por gracia sois salvos por medio de la fe; y esto no de vosotros, pues es don de Dios; no por obras, para que nadie se gloríe / Porque por gracia ustedes han sido salvados mediante la fe; esto no procede de ustedes, sino que es el regalo de Dios, no por obras, para que nadie se jacte (Efesios 2:8–9; RV60/NVI).

Dios no permite que cada uno de nosotros invente normas para entrar al cielo; Él ha elegido ya la forma. Debemos dejar de lado nuestras ideas subjetivas y aferrarnos a la verdad que debemos nacer de nuevo, al aceptar su perdón.

Si usted no ha nacido aun de nuevo, ¿por qué no pedirlo a Cristo ahora? Dios lo ha hecho tan fácil. Él no le busca para completar alguna gran tarea; todo que Él quiere es que usted reconozca que ha pecado contra Él, y acepte que Jesús murió por sus pecados. Pida perdón a Dios ahora mismo. ¡Es así de sencillo!

Usted experimentará el perdón de Dios y la regeneración del Espíritu Santo en el momento en que usted lo pida.

Si confesamos nuestros pecados, él es fiel y justo para perdonar nuestros pecados, y limpiarnos de toda maldad / Si confesamos nuestros pecados, Dios, que es fiel y justo, nos los perdonará y nos limpiará de toda maldad (1 Juan 1:9; RV60/NVI).

Una vez que nacemos otra vez, asumimos la responsabilidad alegre y diaria de vivir para Cristo.

## *Habitación*

El tercer encuentro que tenemos con el Espíritu Santo inicia una comunión realmente preciosa e íntima, a través de su presencia y ministerio que habita en nuestras vidas. " significa que Él viene para habitar en nosotros al momento en que nacemos de nuevo.

El apóstol Pablo dijo a los cristianos de Corinto:

¿No sabéis que sois templo de Dios, y que el Espíritu de Dios mora en vosotros? / ¿No saben que ustedes son templo de Dios y que el Espíritu de Dios habita en ustedes? (1 Corintios 3:16; RV60/NVI).

Él dijo a los creyentes Romanos:

Y si alguno no tiene el Espíritu de Cristo, no es de él / Y si alguno no tiene el Espíritu de Cristo, no es de Cristo (Romanos 8:9).

Todos aquellos que han nacido de nuevo tienen al Espíritu Santo habitando dentro de ellos. Usted no "consigue" el Espíritu Santo en un tiempo posterior; ¡usted lo "consigue" desde el principio mismo de su nueva vida en Cristo! Usted no puede recibir al Padre e Hijo sin recibir también el Espíritu Santo, ya que Dios es uno (véase Deuteronomio 6:4).

Muchos creyentes bien intencionados que son bautizados en el Espíritu Santo entienden mal este importante punto. ¿Ellos preguntan a otro creyente: "Tiene usted el Espíritu Santo?" Ellos realmente preguntan a la persona si ella ha recibido el bautismo en el Espíritu Santo. Cada creyente tiene el Espíritu Santo habitando en él, pero la Biblia claramente muestra que el bautismo en el Espíritu es diferente de la experiencia de la habitación, y ocurre después de ésta. Hablaremos de esto más detalladamente dentro de poco.

La Biblia promete que todos los beneficios del ministerio del Espíritu son suyos cuando usted nace de nuevo, simplemente debido a que usted ahora "tiene" el Espíritu morando en usted. Jesús prometió que la habitación de su Espíritu nos ayudaría (o consolaría), nos enseñaría, nos recordaría las palabras de Cristo, nos conduciría a toda verdad, nos hablaría, nos mostraría lo que debe venir aún, glorificaría a Cristo, y nos revelaría las cosas relativas a Cristo (véase Juan 14:16–17; 16:13–15).

¡Gracias sean dadas a Dios que envía su Espíritu para morar en personas como nosotros!

*Maduración*

El siguiente encuentro que podemos tener con el Espíritu Santo es a través de su obra de maduración. Este es un proceso de toda la vida, en que el fruto del Espíritu crece en nuestras vidas cuando maduramos espiritualmente.

Mas el fruto del Espíritu es amor, gozo, paz, paciencia, benignidad, bondad, fe, mansedumbre, templanza / En cambio, el fruto del Espíritu es amor, alegría, paz, paciencia, amabilidad, bondad, *fidelidad, humildad y dominio propio (Gálatas 5:22–23; RV60/NVI).

Los cristianos deberían producir naturalmente fruto, el fruto del Espíritu, y estas nueve características definen el carácter mismo de Cristo. Mi versículo favorito en la Biblia es donde Jesús dijo:

Todo lo que tiene el Padre es mío; por eso dije que

tomará de lo mío, y os lo hará saber / Todo cuanto tiene el Padre es mío. Por eso les dije que el Espíritu tomará de lo mío y se lo dará a conocer a ustedes (Juan 16:15; RV60/NVI).

El Espíritu Santo revela el carácter de Cristo en su vida cuando usted diariamente se rinde al ministerio de Él.

Espero que usted haya experimentado esta obra de maduración en su vida; mi vida es considerablemente diferente debido a la obra del Espíritu Santo en mí. Por ejemplo, mis reacciones son diferentes. Yo tenía la tendencia a "descontrolarme", pero ahora encuentro que mi vida es cada vez más gobernada por su paz. Yo solía considerarme paciente (mientras no tuviera que esperar por mucho tiempo), pero ahora con frecuencia reacciono con una paciencia que seguramente no procede de mí.

Otra dimensión de la obra de maduración del Espíritu en nuestras vidas es la santidad. Ésta está estrechamente relacionada con su obra de convicción a medida que Él revela continuamente áreas que necesitan ser cambiadas en nosotros. ¡Nunca olvide la calificación del nombre: Santo!

La red de protección de Dios alrededor de nuestras vidas —nuestra conciencia— puede volverse cada vez más sensible a complacerle a Él. Mi propia experiencia demuestra esto muy bien. Yo solía ser capaz de mirar la mayoría de los programas de televisión y películas, aun si en ellas apareciera violencia, lenguaje sucio y cosas similares. Hubo muchas ocasiones que el Espíritu Santo susurró en mi oído su disgusto, y yo obedecí su instrucción para cambiar el canal, porque una conciencia cauterizada por material impropio puede tener implicaciones devastadoras en la vida de un creyente.

El Espíritu Santo le ayudará a crecer en la santidad a medida que usted madura en su caminar con Dios; ¡sólo asegúrese que usted lo escucha!

## Investidura

El último tipo de encuentro que una persona puede experimentar con el Espíritu Santo es el de su investidura de poder o unción. Esto es cuando una persona es energizada con el poder del Espíritu para ministrar a otros (compartir su fe, orar por milagros, etc.). Tanto el bautismo en el Espíritu Santo como los nueve dones de manifestación del Espíritu (véase 1 Corintios 12:8-11) caen bajo esta categoría.

Vemos en el Antiguo Testamento casos aislados de personas investidas de poder por el Espíritu. El Espíritu vino sobre los profetas, algunos jueces, y varios reyes. Sin embargo, Jesús cumplió el antiguo pacto por medio de su muerte y resurrección. Esto abrió el velo para todo aquel que cree para entrar en el Lugar Santísimo, y experimentar todo lo que Dios tiene para sus niños. Pedro identificó el bautismo en el Espíritu como el acontecimiento que Joel predijo:

> Mas esto es lo dicho por el profeta Joel: Y en los postreros días, dice Dios, Derramaré de mi Espíritu sobre toda carne / En realidad lo que pasa es lo que anunció el profeta Joel: "Sucederá que en los últimos días —dice Dios—, derramaré mi Espíritu sobre todo el género humano" (Hechos 2:16–17a; RV60/NVI).

¡Gracias a Dios que vivimos bajo el nuevo pacto!

El libro de Hechos es nuestra guía práctica acerca de la obra del Espíritu Santo de investir de poder a su pueblo. De su segundo capítulo encontramos que Dios otorga su poder con liberalidad para que los creyentes lo usen al servicio del Señor. Encontramos apóstoles, y creyentes sin ministerio apostólico, que sanan a enfermos, expulsan a demonios, hablan en lenguas no aprendidas, y realizan milagros. Personas comunes y de poco mérito fueron tocadas por Dios, y recibieron poder y sabiduría de Dios.

¡Personas comunes tal como nosotros!

El acceso a este poder se encuentra primero en Hechos, capítulo dos, en el Día de Pentecostés. Los creyentes se juntaron para recibir esta investidura, el bautismo en el Espíritu, mientras obedecían el mandato de Cristo:

> He aquí, yo enviaré la promesa de mi Padre sobre vosotros; pero quedaos vosotros en la ciudad de Jerusalén, hasta que seáis investidos de poder desde lo alto / Ahora voy a enviarles lo que ha prometido mi Padre; pero ustedes quédense en la ciudad hasta que sean revestidos del poder de lo alto (Lucas 24:49; RV60/NVI).

Por lo tanto, Dios desea que cada uno de nosotros mantenga una comunión continua con el Espíritu Santo para ser ministrados por su convicción de pecado, regeneración, habitación, maduración, e investimiento de poder.

El ministerio del Espíritu Santo en nosotros es rico y diverso, pero siempre se concentra en magnificar a Jesús en nosotros. No es de extrañar que Cristo dijera:

> Todo lo que tiene el Padre es mío; por eso dije que tomará de lo mío, y os lo hará saber / Todo cuanto tiene el Padre es mío. Por eso les dije que el Espíritu tomará de lo mío y se lo dará a conocer a ustedes (Juan 16:15; RV60/NVI).

Prosigamos ahora al encuentro final de la obra de investidura: el bautismo en el Espíritu Santo.

# Para reflexión:

1. ¿Ha pensado usted detenidamente acerca de la importancia del ministerio continuo del Espíritu Santo en su vida?

2. ¿Puede usted decir honestamente que ha nacido de nuevo? Si no es así, sírvase considerarlo, Dios puede perdonar sus pecados ahora mismo. El Espíritu Santo de Dios se moverá en su vida y le dará un nuevo comienzo. Comparta con alguien más lo que ha pasado en su vida hoy (véase Romanos 10:9-10).

3. Piense en algunas ocasiones cuando el Espíritu lo ha convencido de pecado, o ha retado su conciencia.

# 2
# ¿Qué es el bautismo en el Espíritu Santo?

El bautismo en el Espíritu Santo es la investidura primaria de poder de Dios que los creyentes del Nuevo Testamento pueden experimentar. Jesús lo prometió antes y después de que Él fue levantado de los muertos (véase Lucas 24:49, Marcos 16:17, Hechos 1:8). Fue tan importante que Él dió este mandato a los primeros cristianos:

> "Y estando juntos, les mandó que no se fueran de Jerusalén, sino que esperasen la promesa del Padre, la cual, les dijo, oísteis de mí. Porque Juan ciertamente bautizó con agua, mas vosotros seréis bautizados con el Espíritu Santo dentro de no muchos días" / "Una vez, mientras comía con ellos, les ordenó: —No se alejen de Jerusalén, sino esperen la promesa del Padre, de la cual les he hablado: Juan bautizó con agua, pero dentro de pocos días ustedes serán bautizados con el Espíritu Santo" (Hechos 1:4–5; RV60/NVI).

Según la Escritura, los creyentes del Nuevo Testamento debieran seguir el mandato del Señor y ser bautizado en el Espíritu Santo.

### No es lo mismo que la salvación

El bautismo en el Espíritu es un primer paso en su desarrollo después de convertirse a Cristo. El libro de Hechos nos muestra que se esperaba que los nuevos creyentes experimentaran el bautismo en el Espíritu poco después de que ellos nacieran de nuevo. De hecho, la Iglesia Primitiva consideró el bautismo en agua y el bautismo en el Espíritu Santo como pasos primarios esenciales en el discipulado de un nuevo creyente.

La mayor parte de personas que sienten que ellas no necesitan el bautismo en el Espíritu no lo entienden completamente. Puede que ellas no reconozcan los asombrosos beneficios que la Biblia promete fluirán en su vida como resultados del bautismo en el Espíritu.

El bautismo en el Espíritu Santo (obra de investidura de poder) no es la misma cosa que nacer de nuevo (obra de regeneración). Recuerde, todo que usted necesita para ser adoptado en la familia Dios es nacer de nuevo. El bautismo en el Espíritu no guarda relación con su posición como hijo de Dios. ¡El bautismo en el Espíritu es por sobre todo una mayor intimidad y poder espiritual!

Lucas, el autor de Hechos, se esforzó en mostrarnos que todos aquellos que recibieron el bautismo en el Espíritu claramente ya habían nacido de nuevo. Hechos lo registra como el siguiente paso natural para los creyentes después de que ellos nacían de nuevo.

Mientras ministraba en una iglesia en Misisipí hace tiempo atrás, conocí a un hombre que tenía preguntas en relación con esto. Él me contó su historia después del servicio. Él era un ministro de una denominación que no creía en el bautismo en el Espíritu. De hecho, él había sido enseñado que la obra de regeneración del Espíritu y la investidura de poder eran la misma cosa. Él se había unido a la Fuerza Aérea y estaba de camino a comenzar el servicio en oriente cuando hizo este viaje crucial a la iglesia de Missisippi. Resultó que este ministro de la Fuerza Aérea sólo asistió el domingo en que compartíamos sobre el bautismo en el Espíritu Santo. ¡Yo predicaba acerca de un tema que él no creía!

Él argumentaba silenciosamente desde su punto de vista muchas de las declaraciones que yo hacía. Cuando mencioné que la Biblia muestra que todos los que recibieron el bautismo en el Espíritu ya habían nacido de nuevo, su debate mental se detuvo. ¡Él rápidamente exploró el libro de Hechos y descubrió que era cierto! Había una diferencia entre nacer de nuevo y ser bautizado en el Espíritu Santo. Él tenía una promesa que recibir, que aún no había reclamado. Este hombre había sido intruido en rechazar y refutar el bautismo en el Espíritu Santo como una enseñanza incorrecta; ¡sin embargo, por otra parte él fue convencido por su propia Biblia! Él fue uno de los primeros, de muchos, en recibir este hermoso don esa noche. Más adelante, yo recibí un correo electrónico de él en el cual él me compartió cuán poderosa y transformadora fue para él esta experiencia.

## *¿Desea más?*

¿Cuáles son las áreas en que usted se siente más insatisfecho en su caminar con Dios? ¿En qué áreas anhela usted recibir "más"? ¿Pueden ellas ser resumidas de esta forma: insuficiente intimidad con Dios y poder espiritual en mi vida? Las Escrituras revelan cómo el bautismo en el Espíritu Santo satisface directamente estas grandes necesidades, proporcionando dos beneficios a todos aquellos que lo reciben.

### *Bendición interna: Mayor intimidad espiritual con Dios*

El primer beneficio del bautismo en el Espíritu Santo es algo que es personal, sólo para usted. ¡Dios desea sumergirle en su Espíritu Santo para saturarle! ¿No ha tenido usted un anhelo de renovación espiritual? ¿No ha anhelado usted una mayor intimidad con Dios?

Esta inmersión es indicada en Hechos 1:5 donde Jesús dijo:

> Porque Juan ciertamente bautizó con agua, mas vosotros seréis bautizados con el Espíritu Santo dentro de no muchos días / Juan bautizó con agua, pero dentro de pocos días ustedes serán bautizados con el Espíritu Santo (RV60/NVI).

Él estaba comparando algo que los discípulos ya

habían experimentado con algo nuevo que Él quería que experimentaran ahora. Jesús asoció el bautismo de agua de Juan con un bautismo o inmersión en el Espíritu Santo, algo que Cristo mismo realizaría, como Juan el Bautista había predicho:

> Yo a la verdad os bautizo en agua para arrepentimiento; pero el que viene tras mí… es más poderoso que yo; él os bautizará en Espíritu Santo / Yo los bautizo a ustedes con agua para que se arrepientan. Pero el que viene después de mí es más poderoso que yo... Él los bautizará con el Espíritu Santo (Mateo 3:11; RV60/NVI).

La palabra griega para "bautizar" es una palabra que literalmente significa ser sumergido o cubierto. Esto no significa "ligeramente mojado" o "alta humedad"; esto significa totalmente sumergido.

Retrocedamos por un momento. ¿Quién es el Espíritu Santo? Recuerde que Dios es un Ser, aunque Él se revela en tres Personas eternamente distintas: Padre, Hijo y Espíritu Santo. (Pienso que usted ya se imagina donde voy con esto). ¡Su deseo indicado de bautizarle con el Espíritu Santo significa que Dios quiere sumergirlo a usted en ÉL! ¡Nuestro Creador quiere tener un encuentro personal, íntimo y perdurable con usted!

Cuando Jesús dijo a sus discípulos que ellos serían sumergidos en el Espíritu Santo, su declaración tenía también un sentido significativo para ellos culturalmente. Los discípulos vivían en un tiempo de ministerio sacerdotal. Los sacerdotes judíos eran los únicos que podían ministrar los sacrificios por los pecados, y ellos hacían esto en plataformas distantes como mediadores especiales entre el hombre y Dios. Además, era el sumo sacerdote quien ministraba la sangre del sacrificio delante del Arca del Pacto, y esto sólo una vez al año. Entonces él salpicaría la sangre simbólica de la expiación en la tapa del Arca, entre las alas de los dos querubines de oro ubicados a ambos lados de la tapa.

Los discípulos a menudo pueden haberse preguntado cómo era el interior del Lugar Santísimo, pero ellos nunca sabrían directamente porque según la ley judía ellos no podían entrar y estar de pie delante del Arca.

¡Sin embargo, Jesús dijo a sus discípulos, un grupo que no eran sacerdotes, que su nueva posición de pacto les permitiría no sólo vislumbrar el Arca sino también ser sumergidos entre las alas de los querubines!

También podemos ser sumergidos entre las alas del querubín, en la plenitud de Dios, porque el bautismo en el Espíritu Santo es una inmersión en Dios mismo. Esta inmersión es primero para nuestro beneficio personal. Es una experiencia espiritual que refresca y nos bendice internamente, proporcionándonos un encuentro íntimo con Dios.

Esto es exactamente lo que sucedió en el Día de Pentecostés. El capítulo dos de Hechos registra los detalles:

> Y de repente vino del cielo un estruendo como de un viento recio que soplaba, el cual llenó toda la casa donde estaban sentados; y se les aparecieron lenguas repartidas, como de fuego, asentándose sobre cada uno de ellos. Y fueron todos llenos del Espíritu Santo, y comenzaron a hablar en otras lenguas, según el Espíritu les daba que hablase / De repente, vino del cielo un ruido como el de una violenta ráfaga de viento y llenó toda la casa donde estaban reunidos. Se les aparecieron entonces unas lenguas como de fuego que se repartieron y se posaron sobre cada uno de ellos. Todos fueron llenos del Espíritu Santo y comenzaron a hablar en diferentes lenguas, según el Espíritu les concedía expresarse (Hechos 2:2-4; RV60/NVI).

Esta inmersión íntima afectó tanto su conciencia espiritual como sus sentidos físicos. Primero, su audición fue influenciada cuándo el sonido de un fuerte viento llenó la casa, ¡ellos comenzaron a oír sonidos inspirados por Dios! Luego, vino la aparición de fuego que era aparentemente magnético en su atracción por cada buscador anhelante, ¡ellos comenzaron a percibir vistas inspiradas por Dios! No sólo su audición y vista fueron afectadas, sino que fuego (que es símbolo del Espíritu Santo) se posó sobre cada uno de ellos cuando fueron todos literalmente llenos del Espíritu Santo. ¡Toda su existencia fue saturada en Dios! ¡No es sorprendente que ellos comenzaron a hablar palabras inspiradas por Dios!

El fuego que cayó del cielo se dividió y esparció para posarse sobre cada persona en aquel cuarto. Este no era una llama sola que todos compartían, ¡sino un abrazo personal del cielo diseñado por Dios para cada uno de ellas! Cada persona tuvo un encuentro igualmente poderoso e íntimo con el Espíritu Santo.

Ellos no eran sumos sacerdotes del orden levítico, ni eran todos apóstoles. De hecho, las Escrituras sugieren que ciento veinte personas fueron bautizadas en el Espíritu en aquella mañana (véase Hechos 1:15; 2:1). Esto significa que el noventa por ciento de aquellos que recibieron en el Día de Pentecostés no era apóstoles. Aún así, Dios envió sus llamas de fuego sobre cada uno de ellos, porque Él quiso tener un encuentro personal e íntimo con cada creyente. ¿Puede usted imaginar la bendición de esta intensa experiencia? ¡Los creyentes recién bautizados estaban tan extasiados, tan realmente empapados de la presencia y poder de Dios, que algunos espectadores pensaron que ellos estaban borrachos!

El bautismo en el Espíritu trae muchas otras bendiciones espirituales personales. Recuerdo cuando esta experiencia se hizo mía. La noche que recibí este don increíble seguí mi hábito de leer la Biblia antes de que yo me acostara. Algo era diferente. Pareció como si yo llevara puestas gafas 3-D cuando leí la Palabra, ella cobró vida para mí de maneras nuevas y poderosas. Mi apetito por la Biblia se hizo voraz.

Mi vida de oración fue afectada de manera similar. Me encontré sumido en conversación con Dios. Yo había tratado anteriormente de orar durante períodos más largos, y esto había sido una verdadera lucha. Yo me sentía culpable de que no disfrutara más de la oración. Sin embargo, con esta nueva inmersión en Dios, encontré que mi vida de oración fue refrescada, renovada e investida de poder. Estaba más cerca de Dios, y disfrutaba más de Él, como nunca antes.

Una bendición adicional fue mi nueva pasión de estar junto a otros creyentes, escuchando sus testimonios y compartiendo con ellos lo que Dios había hecho en mi vida. ¡Amé hablar de las cosas de Dios y todavía lo hago!

Esta inmersión en Dios nos bendice al nivel personal, produciendo fruto que refuerza nuestras vidas. El libro de Hechos registra que los creyentes recién bautizados en el Espíritu se

> dedicaban a la enseñanza de los apóstoles y al compañerismo, al partimiento del pan y a la oración (Hechos 2:42).

Hoy, Dios quiere cumplir su palabra en usted:

> Y en los postreros días, dice Dios, derramaré de mi Espíritu sobre toda carne / Sucederá que en los últimos días —dice Dios—, derramaré mi Espíritu sobre todo el género humano (Hechos 2:17; RV60/NVI).

Prepárese para que Dios derrame su Espíritu Santo sobre usted ¡de modo que sea maravillosamente empapado en Él! ¿No cree usted que esto ayudará a su necesidad de mayor intimidad espiritual con Dios? Pero, ¿qué acerca de su anhelo de mayor poder espiritual?

*Ministerio externo: Mayor poder espiritual de parte de Dios*

Mientras el primer beneficio, la inmersión personal en Dios, es sólo para usted, el segundo beneficio del bautismo en el Espíritu ayudará a otras personas. Dios no sólo quiere aumentar su intimidad con Él, sino también su poder espiritual para ministrar.

Hechos 1:8 registra la promesa de Jesús:

> Pero recibiréis poder, cuando haya venido sobre vosotros el Espíritu Santo / Pero cuando venga el Espíritu Santo sobre ustedes, recibirán poder (RV60/NVI).

Este bautismo no es sólo para bendición espiritual personal. ¡Este también nos inviste de poder para bendecir a otros! El bautismo no es sólo algo que me sucede "a mí" sino también algo que pasa "a través de mí."

Los primeros creyentes pentecostales estaban sentados cuando recibieron (véase Hechos 2:2), pero después de disfrutar una oleada de refrescamiento, Pedro cambió su postura:

> Entonces Pedro, poniéndose en pie con los once, alzó la voz y les habló diciendo: Varones judíos, y todos los que habitáis en Jerusalén, esto os sea notorio, y oíd mis palabras / Entonces Pedro, con los once, se puso de pie y dijo a voz en cuello: "Compatriotas judíos y todos ustedes que están en Jerusalén, déjenme explicarles lo que sucede; presten atención a lo que les voy a decir" (Hechos 2:14; RV60/NVI).

Después de una oleada de bendición personal, los 120 "receptores" en el Día de Pentecostés compartieron con otros su investidura de poder recién descubierta. Los resultados fueron dramáticos. ¡Tres mil nacieron de nuevo!

Los primeros 120 fueron motivados a ministrar ¡porque ellos simplemente no podían sino desbordarse! La gran responsabilidad que viene con el poder fue naturalmente realizada cuando ellos decidieron cambiar su postura de receptores sentados a aquella de ministradores que se ponen de pie y hablan.

También hoy el bautismo en el Espíritu es el

instrumento de evangelización y ministerio de los creyentes impulsado por Dios. Éste aumenta nuestra eficacia de ministerio tal como lo hizo con los primeros cristianos en el día de Pentecostés.

Pero muchos han recibido este hermoso don sin un entendimiento claro de su nueva responsabilidad.

La Biblia expone este asunto claramente. Todo creyente tiene la responsabilidad personal de compartir su fe. Hay, por supuesto, aquellos a quienes se denomina como evangelistas vocacionales (véase Efesios 4), pero todos los cristianos son llamados a ser testigos en el evangelismo. El bautismo en el Espíritu nos inviste de poder para cumplir con la imponente responsabilidad de la Gran Comisión de Cristo:

> Por tanto, id, y haced discípulos a todas las naciones, bautizándolos en el nombre del Padre, y del Hijo, y del Espíritu Santo; enseñándoles que guarden todas las cosas que os he mandado / Por tanto, vayan y hagan discípulos de todas las naciones, bautizándolos en el nombre del Padre y del Hijo y del Espíritu Santo, enseñándoles a obedecer todo lo que les he mandado a ustedes (Mateo 28:19–20a; RV60/NVI).

# Para reflexión:

1. ¿Cuáles son sus mayores necesidades espirituales?

2. ¿Cómo el bautismo en el Espíritu responde directamente a estas necesidades?

3. ¿Puede usted tener una gran experiencia espiritual y aún no experimentar un cambio en su vida después?

# 3
# ¿Quién puede recibir?

Cómo expusimos antes, el acontecimiento más importante en la vida de una persona es cuando ella nace de nuevo, al recibir a Cristo como su Salvador. La importancia de cualquier otra experiencia palidece en comparación.

Nacer de nuevo abre la puerta para que todos los beneficios y bendiciones del Reino fluyan en su vida. Salmo 103:2–5 enumera algunas de estos beneficios (mientras mantiene el fundamental perdón de pecados):

> Bendice, alma mía, a Jehová, y no olvides ninguno de sus beneficios. El es quien perdona todas tus iniquidades, El que sana todas tus dolencias; El que rescata del hoyo tu vida, El que te corona de favores y misericordias; El que sacia de bien tu boca de modo que te rejuvenezcas como el águila / Alaba, alma mía, al Señor, y no olvides ninguno de sus beneficios. Él perdona todos tus pecados y sana todas tus dolencias; él rescata tu vida del sepulcro y te cubre de amor y compasión; él colma de bienes tu vida y te rejuvenece como a las águilas (RV60/NVI).

Dios predijo su plan de Pentecostés a través de las Escrituras. A partir del principio mismo de la Creación, el Espíritu Santo se movía sobre las aguas (véase Génesis 1:2). En el Antiguo Testamento, Dios selectivamente invistió de poder con su Espíritu Santo a un número relativamente pequeño de personas. Él obró de tal modo sobre Moisés, jueces ocasionales (como Sansón o Gedeón), los profetas y algunos reyes (como Saúl o David).

Este poder de unción, sin embargo, no tenía el propósito de permanecer infrecuente o temporal. Cuando el Ungido o Cristo apareciera en la escena, Él cumpliría el pacto antiguo y promulgaría uno nuevo y mejor. Esta nueva era estaría marcada por el poder del Espíritu que está disponible para todos:

> Y en los postreros días, dice Dios,derramaré de mi
> Espíritu sobre toda carne / Sucederá que en los
> últimos días —dice Dios—, derramaré mi Espíritu
> sobre todo el género humano (Hechos 2:17;
> RV60/NVI).

Como todos los beneficios posteriores a la salvación,
sólo hay un requisito. Pedro declaró que alguien que nace de
nuevo está totalmente calificado para recibir el bautismo en
el Espíritu:

> Pedro les dijo: Arrepentíos, y bautícese cada uno de
> vosotros en el nombre de Jesucristo para perdón de
> los pecados; y recibiréis el don del Espíritu Santo /
> Arrepiéntase y bautícese cada uno de ustedes en el
> nombre de Jesucristo para perdón de sus pecados —
> les contestó Pedro—, y recibirán el don del Espíritu
> Santo (Hechos 2:38; RV60/NVI).

He visto a niños, adolescentes, adultos jóvenes,
abuelos, nuevos convertidos, y convertidos de mucho tiempo
el don del Espíritu. La calificación no es la edad o la madurez
espiritual, sino salvación.

Aún así, muchos se privan de recibirlo porque ellos no
se sienten lo bastante santos. Ellos perciben este don al
revés. El bautismo en el Espíritu no es dado como una
recompensa por una espiritualidad o santidad excepcional.
Este no es una medalla al mérito que usted gana por el bien
que ha acumulado. ¡Usted no tiene que hacerse más santo
para recibir, sino que el recibir ahora le ayudará a crecer en
santidad!

Yo a menudo he escuchado el dicho: "Usted debe
limpiar el vaso antes de que Dios pueda llenarlo." Esto es
verdadero en cierta medida, pero debemos cuidarnos de
explicar a partir de las Escrituras lo que esto significa.
Cuando usted nace de nuevo, sus pecados son perdonados

y es limpiado por Cristo; ¡tan blanco como la nieve! Su pecado ya no es parte de su identidad ante los ojos de Dios; su identidad viene totalmente de su Padre Dios que lo ha adoptado a usted, y Él es completamente santo. Aunque es cierto que los cristianos pueden luchar con problemas de pecado, ellos son todavía candidatos para recibir el poder del Espíritu. Un creyente en conflicto ¡necesita aún más el poder de Dios!

Pida a Dios que lo perdone nuevamente ahora mismo. Pídale que le ayude a vencer las tentaciones. Al momento en que usted pide perdón usted es limpiado.

Otro asunto semejante que surge es el sentirse indigno. Si usted se siente indigno... ¡está bien! ¡Por supuesto que somos indignos de recibir cualquier don de Dios! ¡Si obtuviéramos lo que merecemos estaríamos todos en el infierno ahora mismo! Lamentaciones 3 dice:

> Por la misericordia de Jehová no hemos sido consumidos, porque nunca decayeron sus misericordias. Nuevas son cada mañana; grande es tu fidelidad / El gran amor del Señor nunca se acaba,y su compasión jamás se agota.Cada mañana se renuevan sus bondades; ¡muy grande es su fidelidad! (Lamentaciones 3:22–23; RV60/NVI).

Gracias a Dios que Él no actúa según nuestro mérito personal. Él actúa según la posición que hemos recibido al aceptar el sacrificio de Cristo. De hecho, usted y yo estamos calificados para recibir el perdón de Dios porque somos tan indignos. Pablo nos dice:

> Mas Dios muestra su amor para con nosotros, en que siendo aún pecadores, Cristo murió por nosotros / Pero Dios demuestra su amor por nosotros en esto: en que cuando todavía éramos pecadores, Cristo murió por nosotros (Romanos 5:8; RV60/NVI).

Si usted todavía lucha con sentimientos de indignidad,

úselos para su ventaja. Véalos como trofeos de la gracia y poder de Dios en su vida. Cuando recuerda algo terrible que usted ha hecho, comience a agradecer a Cristo que su sangre y gracia han vencido poderosamente aquel pecado.

Alguien una vez me comentó que él lamentaba que él no pudiera olvidar sus pecados totalmente. Respondí que es una bendición el ser capaz de recordar nuestros pecados. Si no pudiéramos recordar, no habría ninguna base para adoración o alabanza. No podríamos recordar por qué necesitamos a Cristo, o apreciar realmente su santidad.

Identificamos primero lo que Dios hace, antes de aprender quién Él es. ¡De hecho, aprendemos quién Él es por lo que Él hace! Adoramos a Dios porque Él nos rescató del castigo que merecemos debido al pecado. Le adoramos porque hemos crecido para conocerle, quién Él es, que Él es completamente digno de adoración.

Ahora que usted ha nacido de nuevo, es un caso de trofeo ambulante del poder de Dios sobre el pecado, y usted está totalmente calificado para recibir el bautismo en el Espíritu que fue prometido. ¡Prepárese, su momento está casi aquí!

# Para reflexión:

1. ¿Cómo es que su "sentido de indignidad" afecta su caminar con Dios? ¿Cree usted que tal sentido es sano o malsano?

2. ¿Si usted ha estado luchando con problemas de pecado, cómo puede ayudar el bautismo en el Espíritu?

3. ¿Es más importante que usted olvide sus pecados o que Dios lo haga?

# 4

# ¿Cómo puedo estar seguro de que lo he recibido?

Suponga que usted hace una compra en una tienda. El empleado le da un recibo, demostrando que la propiedad del producto se ha trasladado legalmente de la tienda a usted. Algunas tiendas hasta comprueban el recibo antes de que usted salga del edificio, ¡para demostrar que usted en efecto compró los artículos que carga! El recibo no es la compra; es simplemente la prueba de la transacción.

Cuando se trata de si usted ha recibido el bautismo en el Espíritu Santo, Dios quiere darle la prueba de la transacción. Él quiere que usted tenga la seguridad de que realmente ha recibido el poder que Él le prometió.

En la Escritura hay cuatro registros de personas que realmente recibieron el bautismo en el Espíritu. Tres dan detalles de cómo los receptores respondieron, demostrando su experiencia. Una narración, Hechos 8:9–24, no da detalles específicos sobre la respuesta de los receptores, sólo que era algo observable en general (véase el versículo 18).

Los tres registros detallados describen una evidencia constante del bautismo en el Espíritu: los receptores comenzaron a hablar en lenguas que ellos nunca habían aprendido. Ellos comenzaron a hablar en otras lenguas.

Demos una mirada más detenida a estos tres acontecimientos.

En el Día de Pentecostés:

> Cuando llegó el día de Pentecostés, estaban todos unánimes juntos. Y de repente vino del cielo un estruendo como de un viento recio que soplaba, el cual llenó toda la casa donde estaban sentados; y se les aparecieron lenguas repartidas, como de fuego, asentándose sobre cada uno de ellos. Y fueron todos

llenos del Espíritu Santo, y comenzaron a hablar en otras lenguas, según el Espíritu les daba que hablasen / Cuando llegó el día de Pentecostés, estaban todos juntos en el mismo lugar. De repente, vino del cielo un ruido como el de una violenta ráfaga de viento y llenó toda la casa donde estaban reunidos. Se les aparecieron entonces unas lenguas como de fuego que se repartieron y se posaron sobre cada uno de ellos. Todos fueron llenos del Espíritu Santo y comenzaron a hablar en diferentes lenguas, según el Espíritu les concedía expresarse (Hechos 2:1–4; RV60/NVI).

En la casa de Cornelio el gentil en Cesarea:

Mientras aún hablaba Pedro estas palabras, el Espíritu Santo cayó sobre todos los que oían el discurso. Y los fieles de la circuncisión que habían venido con Pedro se quedaron atónitos de que también sobre los gentiles se derramase el don del Espíritu Santo. Porque los oían que hablaban en lenguas, y que magnificaban a Dios / Mientras Pedro estaba todavía hablando, el Espíritu Santo descendió sobre todos los que escuchaban el mensaje. Los defensores de la circuncisión que habían llegado con Pedro se quedaron asombrados de que el don del Espíritu Santo se hubiera derramado también sobre los gentiles, pues los oían hablar en lenguas y alabar a Dios (Hechos 10:44–46; RV60/NVI).

En Efeso:

Y habiéndoles impuesto Pablo las manos, vino sobre ellos el Espíritu Santo; y hablaban en lenguas, y profetizaban.Eran por todos unos doce hombres / Cuando Pablo les impuso las manos, el Espíritu Santo vino sobre ellos, y empezaron a hablar en lenguas y a profetizar. Eran en total unos doce hombres (Hechos

19:6–7; RV60/NVI).

La Biblia es específica; cuando usted recibe la misma experiencia, usted tendrá la misma evidencia.

¿Se sorprendieron los discípulos cuándo ellos comenzaron a hablar en lenguas el Día de Pentecostés? Por supuesto no. Jesús los había preparado para esperar lenguas como una señal de su creencia en Él.

> Y estas señales seguirán a los que creen: En mi nombre echarán fuera demonios; hablarán nuevas lenguas / Estas señales acompañarán a los que crean: en mi nombre expulsarán demonios; hablarán en nuevas lenguas (Marcos 16:17; RV60/NVI).

De hecho, Pablo repitió a los Corintios lo que Isaías había predicho acerca del hablar en lenguas:

> En otras lenguas y con otros labios hablaré a este pueblo / Por medio de gente de lengua extraña hablaré a este pueblo (1 Corintios 14:21b; RV60/NVI).

Pablo explicó que este versículo es sobre el hablar en lenguas, o lenguas no aprendidas.

### ¿Por qué?

Entonces la gran interrogante es esta: ¿Por qué razón elegiría Dios una señal tan polémica para demostrar que el bautismo en el Espíritu había ocurrido?

Las Escrituras nos dan pistas acerca del "porqué" de las lenguas. Santiago, el hermanastro de Jesús, registra una de tales pistas en su epístola:

> Porque toda naturaleza de bestias, y de aves, y de serpientes, y de seres del mar, se doma y ha sido domada por la naturaleza humana; pero ningún hombre puede domar la lengua, que es un mal que no

puede ser refrenado, llena de veneno mortal / El ser humano sabe domar y, en efecto, ha domado toda clase de fieras, de aves, de reptiles y de bestias marinas; pero nadie puede domar la lengua. Es un mal irrefrenable, lleno de veneno mortal (Santiago 3:7–8; RV60/NVI).

Santiago escribió su carta a creyentes (véase Santiago 1:1–2) y les dijo que ellos tenían problemas en controlar sus lenguas. ¿Qué podría demostrar mejor una nueva investidura de poder espiritual que nuestras lenguas (antes "un mal irrefenable") de repente se hallan bajo la influencia del Espíritu Santo?

Otra pista en cuanto al "porqué" de las lenguas surge cuando consideramos el "porqué" del bautismo en el Espíritu en sí. En esencia, el bautismo se trata de Dios que dirige nuestra habla de modos nuevos y poderosos, de manera tal que podamos convertirnos en testigos ministradores, como Hechos 1:8 revela. Este testimonio dinámico es demostrado por el sermón de Pedro en el día de Pentecostés. ¡Después de recibir el bautismo en el Espíritu, este pescador, el hombre, que había negado antes a Cristo, fue investido de poder para hablar públicamente a miles de personas acerca de Él!

El bautismo en el Espíritu se trata de Dios dirigiendo e investiendo de poder nuestra habla. Lo ve, Dios quiere hablar por nosotros. Es tan sencillo como esto. Sé que cada vez que hablo en lenguas, el Espíritu Santo dirige mi habla. ¿Y si puedo confiar en Dios para ordenar mis palabras en un idioma que no conozco, cuánto más puedo confiar en Él para ordenar mis palabras en mi idioma conocido? ¡Qué confianza trae el saber que Él dirigirá igualmente mi idioma conocido cuando comparto a Cristo!

Esta fue la explicación del apóstol Pedro a los espectadores en el Día de Pentecostés:

Porque éstos no están ebrios, como vosotros suponéis, puesto que es la hora tercera del día.Mas esto es lo dicho por el profeta Joel: Y en los postreros días, dice Dios, Derramaré de mi Espíritu sobre toda carne, Y vuestros hijos y vuestras hijas profetizarán / En realidad lo que pasa es lo que anunció el profeta Joel: "Sucederá que en los últimos días —dice Dios—, derramaré mi Espíritu sobre todo el género humano.Los hijos y las hijas de ustedes profetizarán (Hechos 2:16-17; RV60/NVI).

Pedro deliberadamente unió el bautismo en el Espíritu con el habla divinamente dirigida. ¿Él dijo en esencia, "¿Por qué les sorprende esto? Este es lo que pasa cuando el Espíritu viene sobre las personas: ¡ellos hablan palabras de Dios!" La palabra profetizar significa "hablar de parte de Dios."

Pedro continuó para explicar que este nuevo derramamiento estaba disponible ahora a todos los creyentes, a "toda carne."

La mejor pista para del "porqué" de las lenguas es simplemente porque la Palabra lo dice. Aparte de los registros en las narraciones de Hechos que ya hemos cubierto, el apóstol Pablo enérgicamente ordena:

Así que, quisiera que todos vosotros hablaseis en lenguas / Yo quisiera que todos ustedes hablaran en lenguas (1 Corintios 14:5; RV60/NVI),

y

Así que, hermanos, procurad profetizar, y no impidáis el hablar lenguas / Así que, hermanos míos, ambicionen el don de profetizar, y no prohíban que se hable en lenguas (1 Corintios 14:39; RV60/NVI).

Recuerde que Jesús nos dijo claramente que una señal que seguiría a los creyentes verdaderos es que hablarían en lenguas:

Y estas señales seguirán a los que creen:... hablarán nuevas lenguas / Estas señales acompañarán a los que crean:... hablarán en nuevas lenguas (Marcos 16:17).

De este modo, tal como los cristianos en el libro de Hechos, podemos esperar que comencemos a hablar en idiomas (lenguas) no aprendidos, como evidencia del bautismo en el Espíritu Santo. Nuestros patrones de habla evidenciarán el Espíritu en carne cuando comencemos a pronunciar palabras inspiradas por Dios. Nuestras palabras divinamente transformadas confirmarán entonces nuestra nueva habilidad investida de poder para testificar a otros acerca de Jesús. ¿Pero habrá algo más? ¿Puede suceder algo más?

### ¿Qué acerca de las emociones?

Cada uno de nosotros reacciona en forma diferente en cuanto a nuestras emociones. Algunos no pueden siquiera ver un episodio repetido de la serie de televisión *la pequeña casa en la pradera* sin emocionarse hasta las lágrimas. Otros tienen la reacción emocional de una piedra. De la misma forma, nuestras reacciones emocionales serán diferente al recibir el bautismo en el Espíritu, y esto está bien. No deje que la emoción, o la carencia de emoción, invaliden la evidencia bíblica probada de la experiencia. También, considere que aunque el grado emocional varía de persona a persona, la calidad espiritual de la experiencia es la misma.

Mientras ministraba en Kansas hace ya varios años, noté que una señorita trataba de recibir el bautismo después del culto de la mañana en domingo. Me acerqué a ella al frente auditorio, cerca del altar, y pregunté como estaba. Ella me dijo que se sentía desalentada porque el bautismo no venía fácilmente. Hablé con ella de respuestas emocionales, que cada persona es diferente. Ella pareció animada por esto, pero sintió que deseaba seguir buscando en otra ocasión, quizás en su casa.

Más tarde, después del culto de la noche, vi de nuevo a la joven en el área del altar. Me abrí camino y le pregunté si ella quisiera intentar de nuevo buscar el bautismo. Ella respondió, "No tengo que intentar de nuevo. Lo recibí en casa esta tarde." Ella continuó explicando que siempre suponía que la gente necesitaba sentimiento sobrecogedor de poder, o "centelleos" emocionales, como ella lo describió, a fin de recibir. Ella decidió sólo pedir a Dios y luego recibir. ¡Y así lo hizo! Su experiencia fue sencilla y genuina, pero no algo emocionalmente sobrecogedor cuando ella había esperado.

Sin embargo, debería incluir uno más palabra sobre las emociones: ¡No se asuste de ellas tampoco! A muchos se les ha dicho desde temprana edad "deja de gritar" y "los niños grandes no lloran." Así, se han suprimido las respuestas emocionales de una generación. Hay algunos que se han vuelto tan estoicos que relacionan cualquier respuesta emocional con debilidad o predisposición.

¿Quién hizo sus emociones? ¿Quién le formó como un ser completo? Nuestro Padre Creador. No puede haber ningún momento más sano, apropiado o seguro para permitir respuestas emocionales que en la presencia de Dios. No tenga miedo de desmedirse o "perder el control."

Cuando yo crecí en la iglesia, no tuvimos miedo de la emoción. ¡No considerabamos que teníamos un culto provechoso hasta que hubiéramos derramado lágrimas! Éstos eran los días antes del rímel impermeable. ¡Las damas dejarían la iglesia con sus ojos ennegrecidos al tratar de secar sus lágrimas!

Muchos intentan suprimir las lágrimas sin darse cuenta que Dios se manifiesta en ellas. ¿Por qué trataría usted de sabotear lo qué Dios está haciendo en su vida? ¡Algunas personas afirman: "No soy un llorón", y luego tienen que demostrar esto poniendo todo su esfuerzo para aguantar las lágrimas!

Déjeme decirlo de nuevo. Dios creó sus emociones, así es que no tenga miedo de ellas. Sin embargo, déjeme también decir que usted no debería considerarlas como una necesidad durante o después del bautismo en el Espíritu Santo. La evidencia de aquella experiencia es que usted hablará en una lengua no aprendida. Tenga confianza. Usted hablará en lenguas; pero no necesariamente tendrá que llorar.

## ¿Quién está en control?

Hay otro objetivo subyacente muy importante detrás del hablar en lenguas. A usted y a mí nos gusta estar en control. Así es; admito que soy un fanático del control.

En parte debido a nuestros problemas de control, hemos establecido una línea, o límite, en torno a nuestras vidas. Esta línea divide para nosotros los que son comportamientos aceptables y los que no lo son. Podríamos llamar esta línea circular "nuestra dignidad percibida." Dentro de la línea nosotros podemos existir sin peligro, sin acarrear vergüenza y ridículo no deseados sobre nosotros. Fuera de la línea nos arriesgamos a la humillación.

¿Ha tenido alguna vez usted un momento terriblemente vergonzoso? ¡(¡He tenido más de uno por mi parte!) ¿Fueron aquellos momentos horribles algo que arreglamos deliberadamente? ¿Deseamos ser humillados en público? ¡Claro que no ! A nadie le gusta ser percibido como poco digno o ridículo.

Nuestra línea de dignidad percibida es por lo general cruzada sólo por accidente. Sin embargo, alguna vez hay emergencias extraordinarias en las cuales deliberadamente anulamos la demarcación de la línea de dignidad.

Dignidad. ¿Podría esta ser una estratagema usada por nuestro viejo enemigo? ¿Podría ésta ser la raíz de la caída de Lucifer desde el cielo? ¿El problema que causó la Caída del hombre?

Ya lo adivinó, dignidad a menudo puede ser la palabra agradable y aceptable que usamos para "orgullo". Nuestra necesidad de impresionar a otros, y aún ser percibido como "normales" provienen del orgullo.

¿Todas las obras de Dios en nuestra vida son una afrenta absoluta a nuestra... dignidad? Llamémoslo tal cual es: ¡ORGULLO! Y el orgullo es algo muy peligroso.

Ya hablamos anteriormente de cómo necesitamos el Espíritu Santo para convencernos o revelarnos nuestra necesidad de perdón de Dios. ¿Por qué necesitamos esta ayuda de convicción? Nuestro orgullo dice: "Estoy bien. No puedo admitir que necesito la ayuda del Dios invisible. Yo parecería débil. ¡No, es demasiado vergonzoso!" Usted puede ver que el orgullo es a menudo nuestro peor enemigo, oponiéndose a una buena comunión con Dios.

No es diferente cuando se trata del bautismo en el Espíritu Santo. Debemos abandonar voluntariamente nuestro orgullo y dignidad para recibir.

Las lenguas son un ataque total a nuestro orgullo. No tenemos idea de lo que decimos, sólo que hablamos sonidos extraños. Y a menos que resulte que alguien entienda el idioma (o si es interpretado), ¡nadie sabe lo que estamos diciendo excepto Dios!

El apóstol Pablo dijo a los corintios:

Porque si yo oro en lengua desconocida, mi espíritu ora, pero mi entendimiento queda sin fruto / Porque si yo oro en lenguas, mi espíritu ora, pero mi entendimiento no se beneficia en nada (1 Corintios 14:14; RV60/NVI),

y

Porque el que habla en lenguas no habla a los hombres, sino a Dios; pues nadie le entiende, aunque por el Espíritu habla misterios / Porque el que habla en lenguas no habla a los demás sino a Dios. En realidad, nadie le entiende lo que dice, pues habla misterios por el Espíritu (1 Corintios 14:2; RV60/NVI).

Usted debe estar dispuesto a transar su dignidad a fin de recibir este don de Dios. Usted debe estar dispuesto a humillarse, hasta al punto de parecer ridículo y poco digno.

Creo que Dios eligió las lenguas como evidencia del bautismo en el Espíritu porque esto confronta directamente nuestro orgullo y problemas de control. A fin de recibir algo nuevo de parte de Dios, debemos estar dispuestos a hacer algo nuevo para Dios.

## Para reflexión:

1. ¿Cuál cree usted es el significado de hablar en lenguas como evidencia del bautismo en el Espíritu?

2. ¿Qué papel puede cumplir la emoción en una vida espiritual sana? ¿Cuán abierto emocionalmente está usted a Dios?

3. ¿Piensa usted que su dignidad tiene un efecto positivo o negativo sobre su caminar con Dios?

# 5
# ¿Cómo recibo?

¡Antes de que comencemos a hablar acerca de "cómo usted recibe" permítame asegurarle que Dios quiere bautizarle en su Espíritu Santo hoy! Él desea renovar e investir de poder su vida. Él quiere cumplir su promesa en usted, por lo tanto anímese.

## Considere que éste es un don gratuito

Este punto es crucial. El apóstol Pedro dijo que el bautismo en el Espíritu era un don (véase Hechos 2:38), y usted no puede ganarse lo que es gratuito.

¿Qué hizo usted para ganarse el derecho de recibir presentes en su cumpleaños? Sólo sucede que usted nació en cierto día. ¿Por qué debería usted recibir un regalo por esto? (Si estuviera basado en el mérito, ¿no fue su madre la que hizo todo el trabajo? En este caso, ¿no debería enviarle a ella un regalo cuando usted estuviera de cumpleaños?)

Hace unos meses, ministrabamos en Arizona el bautismo en el Espíritu. Esa noche oré con un señor que pedía repetidamente que Dios lo bautizara. "Dios, si sólo me llenará, dejaré de golpear al perro cuando me enojo. Prometo que lo intentaré con más ahínco." Él argumentaba como un abogado que trata de convencer a un juez de su caso.

El deseo de cambiar es fantástico, pero esto no le hará ganarse el bautismo. Recuerde, éste es un don gratuito. Usted no tiene que convencer a Dios para otorgarlo. ¡Él ya sabe de su necesidad del bautismo en el Espíritu, ¡mucho más de lo que usted cree! Él ha decidido ya bautizarle.

49

## Considere qué esperar y qué hacer

Hablamos antes de que los discípulos estaban conscientes de qué esperar en cuanto al bautismo en el Espíritu. Jesús les había dicho qué esperar, y ellos anticipaban lo que sucedería. Del mismo modo, la Biblia establece un patrón sencillo que nos ayuda a anticipar lo que sucederá luego cuando procuramos recibir este don.

En los detallados registros de Hechos (véase Hechos 2, 10 y 19), surge este modelo sencillo. Sucederá en su vida también, cuando usted comience a recibir este don.

## 1. Busque a Jesús

Primero, los primeros cristianos estaban buscando a Jesús obedientemente cuando ellos recibieron. (Recuerde, Jesús es el único que puede bautizarle en el Espíritu Santo.)

En el capítulo dos de Hechos, los seguidores de Jesús habían esperado en Jerusalén y estaban continuamente en el templo adorando a Dios, obedeciendo las palabras de Cristo (véase también Lucas 24:53).

En el capítulo diez de Hechos, los gentiles de Cesarea obedecieron a Dios al pedir a Pedro que viniera, y al escuchar su enseñanza sobre Jesús.

En el capítulo 19 de Hechos, los nuevos cristianos efesos tenían el anhelo de crecer en su comunión con Jesús. Pablo los condujo al siguiente paso lógico, y ellos recibieron el bautismo en el Espíritu.

Las reglas no han cambiado. Si realmente tiene un gran deseo, usted comenzará a buscar a Jesús. Hay muchos cristianos frustrados con sus vidas espirituales, pero no hacen nada para iniciar un cambio. La respuesta a su anhelo de más intimidad y poder espiritual es buscar a Jesús como Aquel que bautiza en el Espíritu Santo.

¡Lo he escuchado muchas veces dicho de esta manera: "Usted puede tener tanto de Cristo en su vida como usted lo desee, y de hecho, ahora mismo usted lo tiene!" Si realmente quisiéramos más, lo buscaríamos ahora mismo. Entonces, ¿cómo busca usted a Jesús? Aparte algún tiempo especial para hablar con Él. Abra su boca y exprese palabras de amor y adoración a Él. Tenga comunión con Él.

Si usted desea ser bautizado en el Espíritu Santo, usted debe buscar primero a Jesús.

## 2. El Espíritu Santo le encontrará entonces

Algo poderoso pasa cuando tenemos comunión con Jesús, deseando que Él nos bautice en el Espíritu Santo. Las Escrituras repetidamente manifiestan que Dios responde a nuestra búsqueda de Él.

Si se humillare mi pueblo, sobre el cual mi nombre es invocado, y oraren, y buscaren mi rostro, y se convirtieren de sus malos caminos; entonces yo oiré desde los cielos, y perdonaré sus pecados, y sanaré su tierra / Si mi pueblo, que lleva mi nombre, se humilla y ora, y me busca y abandona su mala conducta, yo lo escucharé desde el cielo, perdonaré su pecado y restauraré su tierra (2 Crónicas 7:14; RV60/NVI).

Pero sin fe es imposible agradar a Dios; porque es necesario que el que se acerca a Dios crea que le hay, y que es galardonador de los que le buscan / Cualquiera que se acerca a Dios tiene que creer que él existe y que recompensa a quienes lo buscan (Hebreos 11:6; RV60/NVI).

Acercaos a Dios, y él se acercará a vosotros / Acérquense a Dios, y él se acercará a ustedes (Santiago 4:8; RV60/NVI).

Si confesamos nuestros pecados, él es fiel y justo para perdonar nuestros pecados, y limpiarnos de toda maldad / Si confesamos nuestros pecados, Dios, que es fiel y justo, nos los perdonará y nos limpiará de toda maldad (1 Juan 1:9; RV60/NVI).

He aquí, yo estoy a la puerta y llamo; si alguno oye mi voz y abre la puerta, entraré a él, y cenaré con él, y él conmigo / Mira que estoy a la puerta y llamo. Si alguno oye mi voz y abre la puerta, entraré, y cenaré con él, y él conmigo (Apocalipsis 3:20; RV60/NVI).

Este principio se aplica a cada transacción que tenemos con Dios. Él nos ha dado la libertad de elegir nuestro destino. Cuando le elegimos a Él, Él nos responde.

¿Cómo se aplica esto al bautismo en el Espíritu? Cuándo buscamos a Jesús como Aquel que bautiza en el Espíritu Santo, ¡Él nos responderá!

¿Cómo respondió Él en la Escritura a aquellos que buscaban el bautismo?

De repente, vino del cielo un ruido como el de una violenta ráfaga de viento y llenó toda la casa donde estaban reunidos. Se les aparecieron entonces unas lenguas como de fuego que se repartieron y se posaron sobre cada uno de ellos / De repente, vino del cielo un ruido como el de una violenta ráfaga de viento y llenó toda la casa donde estaban reunidos. Se les aparecieron entonces unas lenguas como de fuego que se repartieron y se posaron sobre cada uno de ellos (Hechos 2:2–3; RV60/NVI).

Mientras aún hablaba Pedro estas palabras, el
Espíritu Santo cayó sobre todos los que oían el
discurso / Mientras Pedro estaba todavía hablando,
el Espíritu Santo descendió sobre todos los que
escuchaban el mensaje (Hechos 10:44; RV60/NVI).

Y habiéndoles impuesto Pablo las manos, vino
sobre ellos el Espíritu Santo; y hablaban en lenguas,
y profetizaban / Cuando Pablo les impuso las
manos, el Espíritu Santo vino sobre ellos, y
empezaron a hablar en lenguas y a profetizar
(Hechos 19:6a; RV60/NVI).

Cuando los creyentes en Hechos buscaron a Jesús,
Él derramó el Espíritu Santo sobre ellos.

Esta palabra "sobre" tiene un sentido especial. En
todos los registros del bautismo en el Espíritu en la
Escritura, se usa la palabra griega "epi". Esta significa
"venir sobre" aunque sea a veces traducida simplemente
como "sobre".

Ya que cada creyente es el templo del Espíritu
Santo (véase 1 Corintios 3:16) y cada uno tiene el Espíritu
habitando en él (véase Romanos 8:9), el "venir sobre" del
Espíritu tiene un sentido diferente.

Jesús dijo a aquellos que le siguieron: "Recibiréis
poder, cuando haya venido sobre vosotros el Espíritu
Santo / Cuando venga el Espíritu Santo sobre ustedes,
recibirán poder" (Hechos 1:8; RV60/NVI).

¡La respuesta de Dios a nuestra búsqueda del
bautismo es que el poder del Espíritu Santo vendrá sobre
nosotros!

Usted puede darlo por sentado. Si usted comienza a
buscar a Jesús, usted sentirá de repente que el Espíritu
viene sobre usted. ¡Esto pasará en cada caso porque la
voluntad de Dios es bautizar a cada creyente en el

Espíritu Santo!

*¿Cómo lo sabré?*

Podría usted preguntar, "¿Como sabré que el Espíritu Santo viene sobre mí?" No hay ninguna medida específica del "voltaje" que le golpeará. De hecho, muchos se sorprenden por la suavidad y belleza del toque del Espíritu.

Sin embargo, algunos entran en la presencia de Dios y comienzan a analizarlo todo, descuidando su atención de buscar a Dios para fijarla en sus valoraciones subjetivas. "Creo que siento a Dios. Tengo una sensación de calor, entonces de nuevo, ¡llevo puesto un suéter! Me siento un poco débil en las rodillas; tal vez voy a caerme, entonces de nuevo, tengo realmente rodillas débiles y he estado estando de pie mucho rato." El análisis comienza y los cambios de atención.

Si usted busca a Jesús, pidiéndole que se revele como Aquel que bautiza en el Espíritu Santo, y usted comienza a sentir que su presencia indefinible desciende sobre usted, tenga confianza de que Él contesta su oración.

Usted puede tener una reacción emocional o incluso una reacción física. Quizás usted le sentirá acercarse. Pase lo que pase, usted estará súbitamente consciente de su presencia en una manera que no estaba allí sólo un momento antes. ¡Confíe, su momento ha llegado!

### 3. Coopere con el Espíritu Santo hablando claro

¿Qué hace cuándo usted siente el Espíritu Santo venir sobre usted? ¡Haga lo que los creyentes en Hechos hicieron!

Y fueron todos llenos del Espíritu Santo, y comenzaron a hablar en otras lenguas, según el Espíritu les daba que hablasen / Todos fueron llenos del Espíritu Santo y comenzaron a hablar en diferentes lenguas, según el Espíritu les concedía expresarse (Hechos 2:4; RV60/NVI).

Porque los oían que hablaban en lenguas, y que magnificaban a Dios / pues los oían hablar en lenguas y alabar a Dios (Hechos 10:46; RV60/NVI).

Y habiéndoles impuesto Pablo las manos, vino sobre ellos el Espíritu Santo; y hablaban en lenguas, y profetizaban / Cuando Pablo les impuso las manos, el Espíritu Santo vino sobre ellos, y empezaron a hablar en lenguas y a profetizar (Hechos 19:6; RV60/NVI).

Cuando el Espíritu vino sobre ellos, los receptores de Hechos cooperaron con el Espíritu Santo, decidiendo hablar claro en lenguas cuando Él los habilitó.

¿Pero quién realmente habla en la lengua desconocida? Cada referencia al hablar en lenguas en la Biblia nos dice que la persona hizo la tarea física de hablar, no el Espíritu. El Espíritu Santo no habla en lenguas, pero Él da a la gente la capacidad de hacerlo. (Después de todo, al Espíritu Omnisciente ninguna lengua puede ser desconocida.) Nosotros hablamos, pero Él da el libreto.

Recuerde, este es un acto de cooperación entre el Espíritu Santo y el creyente. La parte sobrenatural del acto es que el Espíritu Santo permite las palabras que están siendo dichas. La parte natural es el acto físico de hablar en sí; aquella parte depende de usted.

Muchas personas luchan con este punto. Ellos dicen, "quiero que todo sea de Dios y no mí." Es un deseo imposible. Dios no quiere hacerlo solo; ¡Él quiere asociarse con usted!

Unos eliminan la oportunidad de la cooperación con el Espíritu por su temor "de estar en la carne ." Ellos olvidan que "la carne" es exactamente la materia prima con la que Dios desea trabajar:

> Y en los postreros días, dice Dios, Derramaré de mi Espíritu sobre toda carne (Hechos 2:17; RV60).

La palabra "carne" en este pasaje se usa para referirse a las personas ¡Dios desea asociar su fuerza sobrenatural con nuestra debilidad de la carne!

Cuando el Espíritu vino sobre los creyentes que lo buscaban, ellos comenzaron a hablar en otras lenguas. El Espíritu Santo no los obligó a hablar; ellos decidieron cooperar y decir sus palabras.

Unos cometen el error de pensar que el Espíritu Santo tomará el control de su mandíbula, cuerdas vocales y lengua. Recuerde, esto es un acto de cooperación entre Dios y usted. Usted decide asociar su habla con las palabras que da el Espíritu Santo. Su voz no cambiará; usted no perderá el control.

Entonces este sencillo modelo es evidente en todas las tres narraciones detalladas de Hechos:

1. Busque a Jesús y adórele.

2. El Espíritu Santo vendrá entonces sobre usted.

3. Usted debe cooperar con el Espíritu comenzando a hablar cuando Él lo habilite.

*Los dos caminos*

¿Cuál es nuestra respuesta natural hacia el Espíritu

Santo? Nos resistimos a Él. Nuestra respuesta natural es permanecer en control.

Aquí presento un principio sencillo que ha ayudado a muchos a entender su responsabilidad en la recepción: Cuando el Espíritu Santo le encuentra, usted de repente se enfrenta a un camino que se divide en dos sendas. ¿Qué hará usted? ¿Cuál de las dos sendas seguirá usted?

*La senda fácil: Permanecer en la zona de comodidad*

El camino más fácil para tomar es la senda familiar al seguir su propio entendimiento. Su control y dignidad están todavía intactos; usted no hace nada percibido como arriesgado.

Imagine esto: buscamos a Jesús íntimamente mediante la adoración y la comunión con Él, y luego el Espíritu viene sobre nosotros. ¿Qué hacemos ahora? Naturalmente seguimos haciendo lo que estabamos haciendo y diciendo antes de que Él viniera sobre nosotros. De esta manera todavía estamos en control. Todo es seguro y cómodo. ¿Qué pasará con mayor probabilidad? ¡Probablemente nada, porque no cooperamos con el Espíritu Santo!

No haga nada diferente y usted seguirá automáticamente esta senda por naturaleza. Si usted hace lo que siempre hacía, usted permanecerá donde siempre estuvo. La recepción de algo nuevo requiere una acción nueva.

La senda correcta: Dé un salto de fe

Cuando el Espíritu Santo viene sobre usted, hay otra senda que usted puede seguir. Esta senda conduce lejos de su zona de comodidad. Esta senda es elegida cuando usted quiere más de Dios, y decide salir en fe y confiar en Él. Sus promesas son siempre verdaderas. ¡Usted estará seguro!

Si usted decide dar el salto de fe, usted se sentirá con mayor probabilidad consciente y vulnerable. Esto demuestra que la línea de dignidad está siendo cruzada. No se preocupe ahora. ¡Jesús está tan dispuesto a bautizarle en el Espíritu Santo!

## ¡Salte!

¿Qué queremos decir con el "salto de fe"?

Dios me dio una explicación sencilla de la fe: la fe es una cucharilla de entendimiento y una piscina llena de confianza. Ya que usted no puede bautizarse en el Espíritu, usted debe confiar lo suficiente en Dios y su promesa para hacer algo arriesgado, algo fuera de la línea de dignidad, algo que es un acto de confianza elemental.

Cuando nuestro hijo Dolan tenía tres años, él y yo jugabamos a un pequeño juego. Él necesitaba ayuda para atarse sus zapatos. Yo lo tomaba en brazos, lo sentaba en la mesa de la cocina, y luego ataba los cordones de sus zapatos. Cuando terminaba, yo daría un paso atrás y extendería mis brazos hacia él, animándolo a brincar. Dolan me daba una de sus sonrisas de millón de dólares, junto con unas risas nerviosas, mientras saltaba audazmente a mis brazos.

Él dependía de mi fuerza para agarrarlo. ¡Como su padre, yo nunca pensaría en no asirlo!

El mismo principio funciona en la recepción del bautismo en el Espíritu. Jesús lo describió de esta forma:

¿Qué padre de vosotros, si su hijo le pide pan, le dará una piedra? ¿o si pescado, en lugar de pescado, le dará una serpiente? ¿O si le pide un huevo, le dará un escorpión? Pues si vosotros, siendo malos, sabéis dar buenas dádivas a vuestros hijos, ¿cuánto más vuestro Padre celestial dará el Espíritu Santo a los que se lo pidan? / ¿Quién de ustedes que sea padre, si su hijo le pide un pescado, le dará en cambio una serpiente?¿O si le pide un huevo, le dará un escorpión? Pues si ustedes, aun siendo malos, saben dar cosas buenas a sus hijos, ¡cuánto más el Padre celestial dará el Espíritu Santo a quienes se lo pidan! (Lucas 11:11–13; RV60/NVI)?

Cuando el Espíritu Santo le encuentra, este es el modo de Dios de decir: "Soy yo. Es seguro. ¡Salta a mis brazos!"

He oído decir que el lugar más seguro en que usted puede estar es donde usted recibe de Dios. Él no le dejará caer; recuerde, a partir del momento en que usted nace de nuevo, es la voluntad de Dios el bautizarle en el Espíritu (véase Hechos 2:38–39). Usted no conseguirá algo falsificado cuando procura recibir esta promesa de Jesús. El Padre garantiza su obra. ¡Él va a sostenerle!

### Como dar el salto de fe

¿Se pregunta usted cómo dar el salto de fe requerido? La Palabra de Dios habla de esto claramente: Cuando el Espíritu nos bautiza, Él nos dará la capacidad de hablar en lenguas no aprendidas. Ellas pueden ser lenguas humanas o celestiales (véase 1 Corintios 13:1), pero usted no entenderá lo que dice.

Al momento en que Él viene sobre usted, Él le ayudará si usted da un salto de fe y comienza a hablar claro. Si siente el Espíritu que viene sobre usted, y luego deja de dar la bienvenida a su poder dejando de hablar, el milagro será retrasado.

Ve usted, el rendirse es el catalizador para recibir de Dios. Muchos piensan en rendirse como un acto pasivo, que sólo espera allí. "Señor, estoy de pie aquí rendido hasta que usted haga algo."

Pero el rendirse es activo, no pasivo. ¿Si usted trata de rendirse a un ejército contrario, espera sólo que ellos lo encuentren? No, usted agita su bandera blanca y acude a su encuentro, asegurando que sus intenciones son evidentes. Rendirse es una acción de rendición y cooperación.

El salto de fe rinde activamente su habla a la dirección del Espíritu Santo.

Hablamos anteriormente del modelo sencillo que aparece en los registros detallados de Hechos:

1. Busque a Jesús y adórelo.
2. El Espíritu Santo vendra entonces
    sobre usted.
3. Coopere con el Espíritu comenzando
    a hablar claro la lengua no
    aprendida cuando Él lo habilite.

El primer paso depende de usted, algo que usted debe iniciar. El segundo paso es algo que sólo Dios puede iniciar. El tercer paso es un esfuerzo cooperativo entre usted y Dios, su voz que habla sus palabras.

¿Recuerda el camino que se dividía en dos sendas? Cuando el Espíritu Santo viene sobre usted, es su opción seguir su propio entendimiento o dar un salto de fe en los brazos de su Padre, confiando en su promesa que le permitirá hablar en lenguas no aprendidas. ¿Confiará usted en Dios lo suficiente para abrir su boca y hablar palabras qué usted no entenderá?

Ahora, prepárese. ¡Es el momento de recibir!

# Para reflexión:

1. ¿Por qué piensa usted que tratamos de ganarnos las bendiciones de Dios?

2. ¿Ha sentido alguna vez al Espíritu Santo viniendo sobre usted?

3. ¿Cómo es que Lucas 11:11-13 refuerza nuestra determinación de que en efecto recibiremos una experiencia genuina?

# 6
# ¡Recíbalo ahora!

Ahora es el momento de poner en práctica lo que hemos aprendido. Es su turno para experimentar personalmente a Jesucristo como Aquel que lo bautiza a usted en el Espíritu Santo.

Los pasos siguientes son una guía útil en la recepción, pero recuerde: Jesús desea mucho bautizarle en su Espíritu Santo. ¡Puede que usted no pase por cada uno de los pasos antes de que lo reciba!

## *Algunas ayudas practices*

Aíslese de distracciones exteriores. Apártese a solas y cierre la puerta. A veces algunas personas que han procurado recibir durante muchos años en la iglesia, realmente necesitan estar solas en esta parte. Cuando estamos solos, el riesgo de sentirnos avergonzados o tímidos disminuye.

Si usted cree que necesita que alguien más se le una en oración, está bien.
Sólo asegúrese que usted y su compañía puedan buscar juntos al Señor de un modo desinhibido.

Dedique algún tiempo para adorar y buscar a Jesús. Usted debe buscarlo intencionadamente.

Lea los siguientes versículo para reconfortarse y fortalecer su fe: Hechos 1:4-8; 2:1–18.

## *¡Algo más!*

Decida ahora que en verdad tomará el salto de fe cuando sienta que el Espíritu Santo viene sobre usted. Decida ahora que usted abrirá su boca y hablará, confiando que el Espíritu Santo le dará las palabras extrañas y nuevas.

Ya que usted sólo tiene una boca, puede hablar en una lengua a la vez. Eso significa español u otras lenguas aprendidas tendrán que irse, o ellas excluirán la lengua espiritual. Cuando el Espíritu venga sobre usted, resista al impulso de hablar español para tener control. La Biblia claramente nos dice que hablaremos en NUEVAS lenguas, no lenguas CONOCIDAS (Hechos 2:4). Rechace la lengua conocida y hable claro. Es seguro; Dios le mantendrá su promesa.

Decida ahora no permitir que su cerebro gobierne su boca. Prepárese a abrirse y hablar, confiando en que el Espíritu Santo hará fluir palabras nuevas.

Estas palabras desconocidas son la confirmación de Dios de que usted ha recibido este hermoso don. Como un paracaidista debe prepararse para saltar desde un avión, antes de que despegue de la tierra, usted debe decidir ahora saltar realmente en los brazos de su Padre cuándo Él de la señal! No permita que el miedo a lo desconocido lo mantenga en el avión; usted recibirá una experiencia genuina. Dios le prometió este don, y Él es fiel.

*¡Aquí vamos!*

Ahora usted está en el lugar secreto, listo para recibir. Le animo a leer rapidamente estos pasos sencillos, primero, ver a dónde vamos. Entonces siga las instrucciones cuando usted los lea por segunda vez. ¡Aquí vamos!

## 1. Pida a Jesús una limpieza fresca de cualquier pecado no confesado.

(Nótese que dije no confesado. Usted no tiene que investigar en los libros de historia y admitir de nuevo su culpa sobre pecados perdonados. Recuerde, la culpa viene del enemigo pero la convicción viene del Espíritu Santo.) Examine su corazón. ¿Lucha usted con la ira o la amargura? Pida a Dios que le ayude a perdonar aquellos que le hacen daño. Pídale que le perdone a usted sus pecados presentes.

### 2. Admita su dependencia de Jesús.

Tome unos minutos y permita tomar conciencia de cuánto realmente lo necesita usted. Dígale cuánto su vida depende de Él. Déjele saber que usted confía en Él, y acepta de todo corazón todo lo que Él tiene para usted.

### 3. Pida a Jesús que lo bautize en su Espíritu Santo.

Invite a Cristo a revelarse como Aquel que bautiza en el Espíritu Santo. No ruegue; sólo pida. Él ya desea llenarle; Él no necesita que lo convenzan. Pida algunas veces, diciéndole cuánto anhela usted una nueva intimidad espiritual e investidura de poder. Dígale que usted aceptará su promesa ahora mismo.

### 4. Comience a abrir su boca y expresar alabanza y gratitud a Jesús.

No pregunte más; Él le ha oído. Aun si usted es callado y tímido, levante su voz y bendígalo en voz alta. Acostúmbrese a escuchar su voz alabando a Jesús. ¡Esta es la forma más elevada del habla humana! Dígale cuánto significa para usted la cruz. Dígale cuánto usted lo ama. Agradézcale que usted ya no irá al infierno. Usted no tiene que ser poético; no trate de impresionarlo por sus palabras. Jesús le ama y conoce su corazón. ¡Sea usted mismo y alábelo en voz alta!

Usted, en algún punto, comenzará a quedarse sin

palabras. Esto está bien; sólo siga expresando su alabanza y gratitud en voz alta. Vuélvase creativo. No repita sólo una palabra o frase una y otra vez. Exprese su gratitud, diciéndole desde el fondo de su corazón lo que Él significa para usted decir.

## 5. Cuando el Espíritu Santo venga sobre usted, deje el español y hable claro.

Cuando el Espíritu viene sobre usted, no se descontrolará o entrará en alguna especie de "trance", pero usted probablemente sentirá que su boca quiere decir algo. ¡Ahora es el tiempo de saltar en los brazos de su Padre Divino! Confíe en el Espíritu, no en el cerebro. Rechace decir la lengua conocida y confíe en la habilitación del Espíritu. Él no le defraudará; Él pondrá nuevas palabras en su boca mientras usted habla.

Dios no usurpa el control y lo fuerza a que comience a hablar, debe decidir hablar claro y vigorosamente cuando el Espíritu venga sobre usted. A veces algunas personas sienten palabras extrañas, nuevas en su corazón cuando el Espíritu viene sobre ellas. A menudo las personas no saben lo que van a decir hasta que ellas se escuchan a sí mismas hablando en lenguas. ¡Dios puede dar las palabras de cualquier modo que Él elija! Tenga seguridad, el Espíritu Santo le hará decir palabras que Él ha producido.

Usted puede tartamudear al principio. Esto está bien; siga hablando. No se retire a la zona de seguridad de la lengua conocida.

Siga confiando en Dios y vendrá más. Algunos encuentran que el cantar en lenguas fluye más fácilmente para ellos. Esto está bien. Haga lo que se sienta espiritualmente natural.

Tenga confianza. Las palabras que usted habla o canta son de Dios; ellas no son suyas o del diablo.

Recuerde la seguridad de Jesús de que no tendremos una experiencia falsificada:

> ¿Qué padre de vosotros, si su hijo le pide pan, le dará una piedra? ¿o si pescado, en lugar de pescado, le dará una serpiente? ¿O si le pide un huevo, le dará un escorpión? Pues si vosotros, siendo malos, sabéis dar buenas dádivas a vuestros hijos, ¿cuánto más vuestro Padre celestial dará el Espíritu Santo a los que se lo pidan / ¿Quién de ustedes que sea padre, si su hijo le pide[a] un pescado, le dará en cambio una serpiente? ¿O si le pide un huevo, le dará un escorpión? Pues si ustedes, aun siendo malos, saben dar cosas buenas a sus hijos, ¡cuánto más el Padre celestial dará el Espíritu Santo a quienes se lo pidan! (Lucas 11:11–13; RV60/NVI)

¡Usted pidió a Jesús bautizarle, entonces ésta es obra de Cristo! No se impresione si usted no experimenta una emoción intensa. La evidencia está en la lengua, no en las lágrimas.

### 6. Agradezca a Jesús por bautizarle, luego comience de nuevo a hablar claro en la lengua espiritual.

Usted ha sido bautizado ahora en el Espíritu Santo. Usted tiene la misma evidencia bíblica que los apóstoles y los primeros cristianos experimentaron.

Usted puede hablar en lenguas cada vez que usted ore o asista a un culto. Esto es ahora un componente incorporado de su vida espiritual:

> Porque si yo oro en lengua desconocida, mi espíritu ora, pero mi entendimiento queda sin fruto. ¿Qué, pues? Oraré con el espíritu, pero oraré también con

el entendimiento; cantaré con el espíritu, pero cantaré también con el entendimiento / Porque si yo oro en lenguas, mi espíritu ora, pero mi entendimiento no se beneficia en nada. ¿Qué debo hacer entonces? Pues orar con el espíritu, pero también con el entendimiento; cantar con el espíritu, pero también con el entendimiento (1 Corintios 14:14–15).

## Para reflexión:

1. Le animo a escribir una fecha más abajo. Esto servirá como un registro de su maravillosa experiencia.
Recibí el bautismo en el Espíritu Santo en

_____. (fecha)

He experimentado la evidencia bíblica de hablar en lenguas no aprendidas, tal como los primeros cristianos.

2. Comparta con alguien más lo que le ha sucedido.

# 7
# ¿Qué es lo que me ha sucedido?

¡Usted lo logró! ¡Usted brincó en los brazos de su Padre y Él lo sostuvo!

Usted puede sentirse un poco cohibido cuando reflexiona sobre su reciente experiencia. Esto es normal. Usted hizo algo nuevo, algo que lo volvió vulnerable.

Si usted tiene sólo unas palabras (o aun una sola palabra), siga diciendo lo que Él le ha dado. Dios es generoso. Más vendrá. Disfrute de su lengua espiritual recién descubierta, y explore su nuevo vocabulario. Él tiene toda una vida de palabras para usted.

### ¿Qué acerca del temor y las dudas?

Muchos cristianos experimentan temor y dudas después de grandes victorias espirituales. Nuestro adversario usa estas mismas armas una y otra vez, pero ellas no tienen que funcionar en contra suya. Santiago nos dice:

> Someteos, pues, a Dios; resistid al diablo, y huirá de vosotros / Así que sométanse a Dios. Resistan al diablo, y él huirá de ustedes (Santiago 4:7; RV60/NVI).

¡Entonces resistalo y él se irá!

Los temores y las dudas surgen también naturalmente después de cualquier experiencia nueva, simplemente porque no nos hemos aclimatado al "nuevo normal".

Usted puede ser tentado pensar, "era sólo yo". Por supuesto era usted, su voz hablando palabras de Dios, palabras que se supone no entendemos! No olvide que usted confió en Jesús y su palabra. Él prometió que usted hablaría en nuevas lenguas. Esto es sólidamente bíblico, y demuestra que Él ahora dirigirá igualmente su lengua conocida al ministrar a otros.

Su experiencia es real. Usted está recién investido de poder por el Espíritu Santo, pero hay todavía algunas cosas que usted tiene que saber.

## Para reflexión:

1. ¿Se sintió usted cohibido cuando tomó el salto de fe y comenzó a hablar en lenguas? ¿De ser así, por qué?

2. ¿Cuál es un paso práctico que usted puede tomar para superar dudas y temores (Santiago 4:7)?

# 8

# ¿Cómo puedo permanecer lleno del Espíritu Santo y su poder?

Usted ha pasado tiempo leyendo este libro porque usted tiene anhelo de más del ministerio y poder del Espíritu Santo en su vida. ¡No abandone la búsqueda ahora!

Usted ha sido recién sumergido en Dios e investido de poder por Él para el ministerio. Él también ha añadido una nueva dimensión a su vida de oración. Su nueva capacidad de hablar en lenguas es ahora un aspecto integrado de su caminar espiritual. Aunque las lenguas funcionen como evidencia, ellas tienen otros variados papeles en la vida de un creyente; los cuales puede ayudarle a permanecer lleno del poder del Espíritu Santo.

### Dos tipos de lenguas

Las Escrituras muestran que hay lugar para las lenguas en nuestra vida devocional privada, y también un lugar en la adoración pública.

Aunque el énfasis de este libro está en el bautismo en el Espíritu y las lenguas devocionales que lo acompañan, describamos rápidamente la diferencia entre lenguas públicas y devocionales.

Las lenguas en la adoración pública caen bajo los nueve dones de manifestación del Espíritu Santo (véase 1 Corintios 12:4-11). Aunque ellas puedan sonar igual que las lenguas públicas, cumplen un propósito diferente de las lenguas devocionales. En 1 Corintios 14, Pablo lista tres requisitos para el uso de las lenguas en la adoración pública:

1. Las lenguas públicas requieren la atención de la congregación (véase el versículo 5).

2. Las lenguas públicas requieren que se las interprete en un idioma conocido (véase el versículo 27).

3. Las lenguas públicas deben edificar o animar los fieles (véase el versículo 5).

Cuando es bautizado en el Espíritu, usted no tiene que hablar en lenguas en público. La dirección para expresar una declaración pública en lenguas, es un impulso distinto y resuelto que el Espíritu Santo da en ocasiones específicas.

Esta es claramente diferente de su lengua devocional privada, que es entre usted y Dios. La Escritura describe otras características de las lenguas devocionales:

1. Las lenguas devocionales requieren el bautismo en el Espíritu (véase Hechos 2:4).

2. Las lenguas devocionales no requieren su interpretación en una lengua conocida (véase Hechos 10:46).

3. Las lenguas devocionales edificarán o animarán su vida personal (véase 1 Corintios 14:4).

Debido a que el hablar en lenguas no aprendidas es la primera señal de que usted ha sido bautizado en el Espíritu Santo, existe la tendencia de dejarlo así, y olvidar la necesidad de hablar en lenguas devocionales cada día. El hablar en lenguas es una parte esencial de su nueva vida de andar en el Espíritu, y le ayudará para permanecer lleno del Espíritu Santo.

*¿Por qué debería yo hablar en lenguas cada día?*

Hay al menos cuatro razones de que necesitamos absolutamente hablar en lenguas cada día.

1. El hablar en lenguas diariamente es esencial porque esto expresa nuestra adoración.

En el día de Pentecostés, los espectadores atentos entendieron las lenguas habladas en adoración por los primeros carismáticos:

> Les oímos hablar en nuestras lenguas las maravillas de Dios / ¡Todos por igual los oímos proclamar en nuestra propia lengua las maravillas de Dios! (Hechos 2:11; RV60/NVI).

En la casa de Cornelio, los judíos también reconocieron lenguas en señal de la adoración:

> Porque los oían que hablaban en lenguas, y que magnificaban a Dios (Hechos 10:46; RV60/NVI).

¿Se ha sentido frustrado usted alguna vez con su adoración? ¿No se ha quedado usted sin palabras que puedan expresar quién Dios es, y cuánto significa Él para usted? La lengua del Espíritu esta allí para expresar la adoración perfecta. ¡Gracias a Dios!

2. El hablar en lenguas diariamente es esencial porque expresa una intercesión eficaz.

(Intercesión es sólo una palabra más elegante para describir el orar por otros.) Usted rápidamente descubre cuán necesitado está al tratar de orar. ¡De hecho, la oración es una declaración de nuestra debilidad y la capacidad de Dios!

Pablo dijo a la iglesia en Roma que el Espíritu Santo ayudaría en nuestra intercesión:

> Y de igual manera el Espíritu nos ayuda en nuestra debilidad; pues qué hemos de pedir como conviene, no lo sabemos, pero el Espíritu mismo intercede por nosotros con gemidos indecibles. Mas el que escudriña los corazones sabe cuál es la intención del Espíritu, porque conforme a la voluntad de Dios intercede por los santos / Así mismo, en nuestra debilidad el Espíritu acude a ayudarnos. No sabemos qué pedir, pero el Espíritu mismo intercede por nosotros con gemidos que no pueden expresarse con palabras. Y Dios, que examina los corazones, sabe cuál es la intención del Espíritu, porque el Espíritu intercede por los creyentes conforme a la voluntad de Dios (Romanos 8:26–27; RV60/NVI).

En 1 Corintios 14:15, Pablo nos anima a orar tanto en lenguas como en nuestro propio idioma, identificando dos tipos de intercesión.

El primer tipo de intercesión fluye de nuestro entendimiento. Por ejemplo, usted oye sobre una necesidad grande y se siente impulsado a orar. Usted comienza a orar a partir de su entendimiento de la necesidad. Su intelecto idea las palabras que llevan las peticiones a Dios.

El segundo tipo de intercesión fluye del entendimiento de Dios. Él nos motiva para orar, pero no sabemos por qué deberíamos orar o como deberíamos orar, entonces oramos en lenguas. Pablo dijo:

Porque el Espíritu todo lo escudriña, aun lo profundo de Dios. Porque ¿quién de los hombres sabe las cosas del hombre, sino el espíritu del hombre que está en él? Así tampoco nadie conoció las cosas de Dios, sino el Espíritu de Dios / Pues el Espíritu lo examina todo, hasta las profundidades de Dios. En efecto, ¿quién conoce los pensamientos del ser humano sino su propio espíritu que está en él? Así mismo, nadie conoce los pensamientos de Dios sino el Espíritu de Dios (1 Corintios 2:10b-11; RV60/NVI).

¡Cuándo intercedemos en lenguas, oramos con la inteligencia de Dios! ¡Estamos seguros dentro de su voluntad perfecta!

3. El hablar en lenguas diariamente es esencial porque esto expresa el misteriode lo divino.

Hay una tensión entre lo natural y lo sobrenatural desde nuestra posición ventajosa. Ocupamos cuerpos naturales en un mundo natural, pero tenemos necesidades espirituales y apetitos espirituales. A menudo lamentamos que el reino de Dios no fuera más fácil de entender.

Lo sobrenatural no puede ser reconciliado por la mente natural. Todos nuestros ordenados delineamientos y organigramas no pueden contener el misterio de Dios y su plan, entonces nuestro entendimiento golpea una pared de ladrillo.

Antes bien, como está escrito: Cosas que ojo no vio, ni oído oyó, ni han subido en corazón de hombre, son las que Dios ha preparado para los que le aman. Pero Dios nos las reveló a nosotros por el Espíritu; porque el Espíritu todo lo escudriña, aun lo profundo de Dios / Sin embargo, como está escrito:

"Ningún ojo ha visto, ningún oído ha escuchado, ninguna mente humana ha concebido lo que Dios ha preparado para quienes lo aman." Ahora bien, Dios nos ha revelado esto por medio de su Espíritu, pues el Espíritu lo examina todo, hasta las profundidades de Dios (1 Corintios 2:9–10; RV60/NVI).

La única forma en que usted puede entender la verdad espiritual es cuando es espiritualmente revelada. El Espíritu de Dios nos revela lo que tenemos que entender.

¿Qué tiene que ver esto con el hablar en lenguas? Dios nos ha dado la capacidad de comenzar a hablar en palabras espirituales cada vez que necesitamos hacerlo. Estamos de pie en el lado natural del ancho río del misterio y Dios está de pie en el lado sobrenatural distante. Sin embargo, el hablar en lenguas construye un puente a través de aquella distancia misteriosa que separa las dos realidades. Siempre que tengamos temor o nos sintamos aturdidos, o no entendemos lo que Dios desea, ¡podemos decidir bajar el puente levadizo de nuestro lado hablando en la lengua espiritual que Él nos ha dado!

A veces nuestra buena disposición de confiar en Dios y hablar en lenguas también causará el establecer puentes de fe con otros. Un pastor de Pennsylvania me contó esta historia recientemente acerca del hermano de mi esposa, Doug, que es un misionero en la nación de Indonesia.

Mientras visitaba las iglesias que lo sostenían, Doug había ministrado en la iglesia rural de un pastor en Pennsylvania. Después de la presentación de Doug de la gran necesidad espiritual de Indonesia, él llamó los fieles a orar por la gente de Indonesia. La congregación se acercó y silenciosamente comenzó a arrodillarse y orar alrededor del área del altar delante de la plataforma. Doug también oraba andando alrededor del área del altar.

Mientras él andaba, podía oír la oración de diferentes personas. Súbitamente, la oración de una mujer atrajo su atención. Discretamente, Doug pidió al pastor venir con él para hablar con ella. Cuando él hizo así, Doug preguntó a la mujer si ella había viajado alguna vez al extranjero. Ella dijo que no. Él le preguntó si ella conocía a alguien en el extranjero. Ella de nuevo contestó negativamente. Él le preguntó si ella había estudiado alguna vez un idioma extranjero. Esta vez, cuando ella dijo no, Doug comenzó a relacionar el milagro.

¡Ella oraba perfectamente en un dialecto Indonesio!

Ella no estaba segura sobre qué orar específicamente y por lo tanto oraba en lenguas. La lengua del Espíritu bajó el puente levadizo sobre aquella distancia misteriosa, y se conectó con el poder de Dios, no sólo para esta mujer sino también para Doug y toda la congregación.

En aquel momento, los detalles "del como" no importó. Había revelación espiritual. ¡Todos ellos sabía que Dios iba a hacer una obra poderosa en Indonesia!

Cuando usted no tiene claridad sobre como alcanzar a Dios, cuando usted no sabe sobre qué orar, permita que el lenguaje del Espíritu exprese el misterio, y establezca el puente con Dios.

4. El hablar en lenguas diariamente es esencial porque esto expresa confianza.

Hablamos anteriormente acerca de cómo las lenguas lo edifican o alientan espiritualmente. El versículo de Judas 20 refuerza este punto:

Pero vosotros, amados, edificándoos sobre vuestra santísima fe, orando en el Espíritu Santo / Ustedes, en cambio, queridos hermanos, manténganse en el amor de Dios, edificándose sobre la base de su santísima fe y orando en el Espíritu Santo (Judas 20; RV60/NVI).

Aún hay otra forma en que las lenguas expresan confianza espiritual de nuestra parte. ¿Recuerda usted por qué las lenguas son esenciales para el bautismo en el Espíritu Santo? Una de las mucha razones que consideramos es el propósito orientado. El verdadero cumplimiento del bautismo en el Espíritu es el habla investida de poder para ministrar. Recuerde, si podemos hablar en una lengua desconocida cuando el Espíritu nos dirige, ¡cuánto más podemos depender de Él para dirigir nuestra lengua conocida cuando compartimos cerca de Cristo! Cuando usted habla en lenguas, usted expresa confianza en que Dios va a dirigir poderosamente su próxima oportunidad para ministrar.

El hablar en una lengua desconocida es una forma maravillosa de permanecer diariamente lleno del Espíritu Santo. Su lengua espiritual desconocida expresará adoración, intercesión, misterio y confianza. ¡Alabado sea Dios!

## Para reflexión:

1. ¿Cómo se diferencian los dos tipos de lenguas en cuanto a propósito y función?

2. ¿En qué formas específicas cree usted que el hablar en lenguas cada día mejorará su vida espiritual?

3. ¡Pruebe su nuevo don como parte de su tiempo de devoción hoy!

# 9
# ¿Cómo puedo manifestar el poder?

Antes de que yo recibiera el bautismo en el Espíritu, nunca había conducido a nadie al Señor. Me asustaba terriblemente la idea de siquiera intentarlo, pero también sentía una pesada culpa porque fracasaba en mi responsabilidad de ser un testigo.

Después de que recibí el bautismo durante aquella maravillosa tarde de agosto, todo cambió. Mis apetitos espirituales aumentaron porque mi intimidad con Dios creció. El poder espiritual que tanto había anhelado estaba ahora al alcance. Pero ¿testificar? ¡Yo no estaba tan seguro de eso!

Entonces, sólo unos días después de haber recibido, me sucedió algo. Encontré a una persona "por casualidad" que realmente estaba en problemas. Ella trataba de aparentar de que todo estaba bien, pero yo podía sentir que algo estaba mal.

Hasta ese momento mi único punto de referencia de compartir mi fe era ir de casa en casa repartiendo tratados. (¡Tocaríamos el timbre y oraríamos que nadie respondiera!) Súbitamente, algo era diferente. Aunque todavía me sentía algo aprensivo y temeroso, me encontré hablando las cosas correctas. ¡De hecho, las palabras eran tan correctas que yo sabía que ellas no venían de mi cerebro! Dios dirigía realmente mi lengua conocida como Él me había dirigido recientemente para hablar en una lengua desconocida. ¡Esto funcionaba!

¡En sólo unos momentos, yo conduje a mi amiga en una oración, y ella aceptó a Cristo como su Salvador! ¡Me sentía como si hubiera ganado un millón de dólares! Sin embargo, la celebración no se produjo sólo en mi vida. Había celebración en el cielo también:

Así os digo que hay gozo delante de los ángeles de Dios por un pecador que se arrepiente / Les digo que así mismo se alegra Dios con sus ángeles por un pecador que se arrepiente (Lucas 15:10; RV60/NVI).

Era tan fácil, tan natural. ¡Yo no podía menos que desbordar!

## Pozas estancadas

Este desbordamiento es sumamente importante. ¿Ha visto alguna vez usted una poza estancada? No deje que la tranquilidad del agua lo engañe; ¡el agua está contaminada!

¿Por qué las pozas estancadas están contaminadas? ¿No reciben ellas agua dulce cada vez que llueve?

Estas pozas estas estancadas porque ellas no tienen ninguna salida.

Esta condición de ellas es semejante al peligro potencial de aquellos que reciben el bautismo en el Espíritu, y luego rehúsan ministrar a otros. Ellos se estancan. Sus ríos de agua viva se convierten en una poza contaminada.

No sea como ellos. ¡Comparta la bendición.

## ¡Algunos reciben fácilmente!

Estabamos conduciendo una de nuestras Conferencias sobre el Espíritu Santo en el Medio-Oeste de los EE.UU. hace algún tiempo. Una de los asistentes, una persona que se había convertido recientemente, expresó su deseo de recibir el bautismo en el Espíritu después de una de las sesiones. Oramos con ella, y experimentó casi inmediatamente a Jesús como Aquel que bautiza en el Espíritu Santo. Compartí con ella brevemente sobre cómo Dios dirigiría su habla para ministrar, si ella hacía el esfuerzo de compartir el mensaje del evangelio con aquellas personas que necesitaban a Jesús.

La próxima noche de la conferencia, pregunté si alguien tenía un testimonio. Ella inmediatamente se puso de pie y con entusiasmo contó a los asistentes cómo ella había recibido el bautismo la noche anterior. Ella continuó explicando cómo yo la había animado de que Dios también dirigiría su idioma conocido si ella hablaba a las personas que no conocían a Cristo. Ella había decidido intentarlo.

Temprano ese día, sólo unas horas después de recibir el don, ¡ella había ganado para Jesús tanto a sus vecinos como a casi todas las señoras en la lavandería automática local!

Observé cómo un cuarto lleno de "charcas estancadas" se sentían avergonzadas en sus asientos. ¡Esta nueva creyente lo "logró"! Ella había decidido manifestar el poder.

Ahora es su turno. Usted ha sido bautizado en el Espíritu Santo. Dios le ha dado la capacidad poderosa de hablar en lenguas.

¿Que hará usted de aquí en adelante?

*No olvide de llevarle a casa*

Recuerdo haber viajado por el Condado de Lancaster en Pensilvania hace algunos años. Muchas personas "amish" viven allí y ellas practican ideales religiosos estrictos. Ellas han decidido rechazar los descubrimientos e invenciones modernas tales como autos y la electricidad para el uso privado. Sin embargo, ellos disfrutan de estas conveniencias en sitios públicos. De hecho, si usted alguna vez visita un supermercado en

Lancaster, usted encontrará un área de aparcamiento especial para caballos y calesas amish. Ellos deciden hacer compras en el supermercado de artículos fabricados en fábricas y entregado por camiones, a una tienda construida por motores e impulsada por electricidad. Interesante.

Conduciendo por el campo de Lancaster, divisé granjas amish una después de otra, y comencé a notar una línea gris que constantemente aparecía en cada uno de sus techos. Curioso, observe más detenidamente, y me di cuenta de que esto era la sombra de los cables de conexión eléctrica que se extendían por sobre sus casas, líneas de energía inconexas.

Los amish han decidido permitir que la electricidad influyera en ciertas áreas de sus vidas, pero ellos no la llevan a casa con ellos. La misma electricidad de la cual ellos disfrutan en el supermercado está disponible como a 6 metros sobre el techo de sus casas, pero nunca permiten que entre a sus casas.

De esta manera los amish no son diferentes de aquellos creyentes bautizados en el Espíritu que disfrutan maravillosos momentos con el Espíritu en sus iglesias, pero no lo llevan consigo a su casa.

Por favor, no olvide que usted tiene que tomar una decisión cada vez que encuentra a alguien que no conoce a Jesús. Usted puede decidir si abrir su boca y permitir el poder de fluir, o cerrar su boca cerrada y decidir estancarse.

Deje fluir al Espíritu Santo en su vida de maneras nuevas y poderosas y dígale a todos lo que usted sabe acerca de Jesús; después de todo, ¡esa es la razon de que Él le bautizó en el Espíritu Santo!

## Para reflexión:

1. ¿Ha sentido usted alguna vez estancamiento espiritual? ¿Qué puede usted hacer ahora acerca de ello?

2. ¿Cómo podemos volvernos más sensibles a las oportunidades que Dios nos da para ministrar a los incrédulos?

# 10
# Para aquellos que les cuesta recibir

Comencé este libro relacionando mi frustración y desilusión durante años de no recibir el bautismo en el Espíritu.

Sé por lo qué usted pasa, porque yo era un buscador crónico que parecía que no podía recibir. ¡Pero no dejé de intentarlo y, tampoco usted debiera!

No cometa el error de pensar que Dios no quiere bautizarle en su Espíritu. La Palabra de Dios es más verdadera que nuestras experiencias.

Aquí presento algunos pensamientos para ayudarle a encontrar a Jesús como Aquel que bautiza en el Espíritu Santo.

## Por qué buscamos

Nuestra base para la busca es nuestro anhelo de recibir más de Dios y de su poder, para ministrar. Sin embargo, el objetivo mayor en búsqueda algo de Dios es buscar a Dios mismo como persona.

Muchos más están interesados en recibir el bautismo en el Espíritu o una sanidad física que en conocer más a Cristo. A causa de nuestra limitada perspectiva humana tendemos a poner las necesidades menos importantes delante de las mayores.

He hablado con personas que han salido de una reunión, después de un tiempo extendido de búsqueda del bautismo en el Espíritu, y que estaban frustradas. Ellas habían orado y habían estado reunidas durante largas horas, y aún así no recibieron este don. Ellas comenzaban a preguntarse que estaba mal con ellas. "¿Por qué no puedo hacerlo?" "¿Qué cosa me estorba?" Ellos estaban más preocupados por alcanzar el don que de recibir más